MARCO PAOLINI
GABRIELE VACIS

IL RACCONTO
DEL VAJONT

Nuova edizione con due saggi inediti

Garzanti

Prima edizione: settembre 1997
Terza edizione: aprile 1999
Quinta ristampa: marzo 2004
Nuova edizione aggiornata: settembre 2013
Prima ristampa: novembre 2013

Per essere informato sulle novità del Gruppo editoriale Mauri Spagnol visita:
www.illibraio.it
www.infinitestorie.it

ISBN 978-88-11-68254-7

Printed in Italy

www.garzantilibri.it

IL VAJONT E L'AQUILA, DUE TRAGEDIE PARALLELE

di Marco Paolini

«*In tempi atomici si potrebbe dire che questa è una sciagura pulita, gli uomini non ci hanno messo le mani, tutto è stato fatto dalla natura, che non è buona, non è cattiva, ma indifferente.*

E ci vogliono queste sciagure per capirlo!

Non uno di noi moscerini vivo se la natura si decidesse a muoverci guerra.»

Tra poche pagine rileggerete queste parole, le scriveva Giorgio Bocca sul «Il Giorno» venerdì 11 ottobre 1963 e quell'articolo, bellissimo, così come quello di Dino Buzzati, lo stesso giorno, sul «Corriere della Sera», così come quello di Indro Montanelli sulla «Domenica del Corriere», erano sbagliati. Bellissimi ma sbagliati. La diga del Vajont, rimasta in piedi, sembrava assolvere, nello spirito di quel tempo, il lavoro degli uomini, lasciando ogni responsabilità alla natura. Non è stato facile cambiare questo pregiudizio. È stato quasi con fastidio che, gradualmente, si è dovuto fare i conti con il punto di vista di Tina Merlin, giornalista di Belluno che conosceva da tempo la vicenda per averla seguita in prima persona. Poi, quel punto di vista, confermato da prove, documenti e testimonianze, è diventato un'istruttoria processuale.

Ma prima, per ragioni quasi offensive nei confronti delle vittime, la sede del processo sulle responsabilità della tragedia del Vajont fu trasferita da Belluno a L'Aquila, per legittima suspicione. Italo Filippin, sopravvissuto di Erto, racconta che per i «viaggi di giustizia» del 1968/69, servivano circa 3 giorni di corriera per fare i 900 chilometri che separavano le due città. I superstiti alloggiavano negli uffici del tribunale. Per risparmiare, certo, ma anche perché nelle poche stanze d'albergo disponibili a L'Aquila dormivano avvocati e giornalisti.

Era grande la distanza tra Belluno e L'Aquila. Eppure le spirali degli eventi oggi ne avvicinano i destini. Negli ultimi anni abbiamo visto le due città accostarsi, più per carattere che per figura, anche se, dopo il terremoto, L'Aquila non è più una città, ma un'aspirazione usurata dalla frantumazione imposta con decreti d'emergenza.

L'atteggiamento della società civile nei confronti della tragedia del Vajont e del terremoto a L'Aquila è differente. Il tempo, oltre che i chilometri, separa i due eventi. Ma a me interessa qualche elemento che invece li accomuna. Per capirli guardiamo i processi di primo grado de L'Aquila: quello cominciato il 29 ottobre 1968 e quello conclusosi il 22 ottobre 2012. Alla sbarra, nel primo processo: dirigenti, tecnici e consulenti della diga del Vajont. Nel secondo: dirigenti, tecnici e consulenti, membri della Commissione grandi rischi della Protezione civile per il terremoto a L'Aquila del 6 aprile 2009.

Come i grandi giornalisti, forgiando l'opinione pubblica nel 1963, offrivano giustificazioni ai responsabili della tragedia del Vajont, così la comunità scientifica, nel 2012, scomodava persino Galileo e il suo famoso processo per eludere giudizi sull'operato dei propri componenti. La comunità scientifica mal sopporta valutazioni sull'operato dei propri membri da parte della giustizia, si sente incompresa e reagisce come per lesa maestà, negando le accuse.

Non ho nessuna autorità per fare valutazioni su competenze altrui, ma il coro di proteste per una sentenza che metteva pesantemente in discussione l'operato «della scienza», con gli appelli al sostegno internazionale, gli articoli, anche in questo caso bellissimi, di acuti giornalisti, fino all'appello al presidente della Repubblica, scritti dall'inizio di quel procedimento e prima ancora di conoscere i fatti contestati, non mi hanno dato solo fastidio, mi hanno preoccupato e intristito perché sembravano così simili a quanto è successo al tempo del Vajont.

Per contro, è anche vero che molte cose sono cambiate da quel 1968: la nostra idea dell'uomo e della natura, la consapevolezza dei diritti. Oggi le vittime a volte si vendicano. Nei confronti di alcune *autoritas* le parti si sono rovesciate. Un esempio: sempre meno i giovani medici scelgono chirurgia, perché è la specializzazione più esposta a cause civili. I pazienti che si sentono danneggiati dagli interventi sempre più spesso denunciano i chirurghi. Per reazione provo istintiva solidarietà verso chi ha ancora il coraggio di continuare a svolgere con dignità e competenza quelle professioni. Dopo il Vajont, sull'onda dell'«indignazione popolare», per molti anni nessuno ha più costruito una diga in Italia. Non fare non è la soluzione, serve solo a far dimenticare in attesa di ricominciare come prima. Ma se provassimo a ragionare a mente fredda, invece che sull'onda delle emozioni, davanti alle catastrofi potremmo cominciare a vedere responsabilità collettive che prima o poi arriverebbero fino a noi stessi, che magari siamo lontanissimi dai luoghi delle catastrofi. Siamo sempre così prevenuti che finiamo per attribuire responsabilità a intere categorie di politici, di tecnici, di scienziati. Ma non siamo mai disponibili a riconoscere una nostra parte di colpa.

La storia del Vajont è un esempio di come non si devono calcolare i rischi, di come non si devono gestire le emergenze in tutta la catena di comando e nelle istituzioni preposte al controllo. Raccontarla è stato un esercizio di educazione alla prevenzione. In qualche caso è successo. Il racconto del Vajont, per esempio, ha aperto gli occhi a molti studenti di geologia che nei loro testi scolastici trovavano la frana del Toc descritta e trattata in modo asettico, senza alcuna domanda imbarazzante sul ruolo subalterno della geologia all'ingegneria, vera protagonista dell'impresa di progettare e realizzare a ogni costo la diga ad arco più alta del mondo, in una gola ai piedi di una montagna chiamata Toc, cioè pezzo, frammento, scheggia.

Una possibilità di comprendere le nostre responsabilità è aprirsi alle ragioni di tutti. Ho sempre cercato, raccontando questa storia, di mettermi nei panni proprio di quei tecnici che hanno progettato la diga, anche nell'aula del processo. Si chiama *pietas*. È una pratica antica: senza *pietas* verso gli imputati non si può comprenderne l'errore, il loro errore. Senza comprendere le ragioni degli imputati abbiamo solo dei colpevoli, criminali, gente «diversa» da noi. È molto rassicurante. Ma solo comprendendo gli errori degli imputati possiamo evitare di ripeterli. Gli imputati, quando ammettono l'errore, specie quando assume la dimensione della tragedia, tendono a ridimensionare il proprio ruolo, giustificandosi con gli errori altrui. La «società civile» non deve comportarsi nello stesso modo. Comprendere – che non significa giustificare –, condividere, è l'unica strada. Anzi: la *pietas*, la comprensione, offrono la possibilità di sottrarsi alla giustificazione consolatoria, di scongiurare anche le forme più subdole di condivisione.

Il processo di primo grado per la catastrofe del Vajont finì il 17 dicembre del 1969 con condanne lievi rispetto alle richieste. Il tribunale riconobbe il reato di omicidio colposo per il mancato allarme alla popolazione, ma non riconobbe la prevedibilità della frana. Questo libro racconta, senza la presunzione e l'*autoritas* scientifica per sostenere una tesi, una lunga serie di accadimenti che mostrano come la frana fosse studiata, osservata, temuta da anni. Non si poteva sapere a che ora di quale giorno della settimana l'ultimo filo d'erba che la teneva su si sarebbe rotto, ma da settembre '63 si capiva che era questione di poco.

Il processo alla Commissione grandi rischi de L'Aquila, si conclude con una sentenza che accusa i componenti di negligenza, imprudenza, imperizia, valutazione approssimativa e generica della portata dell'evento... Per aver fornito informazioni incomplete e contraddittorie... alla cittadinanza aquilana... si legge a pagina 25 della motivazione. La sentenza quindi non accusa gli imputati per il mancato allarme, come nel caso della sentenza sul Vajont, perché i terremoti, a differenza delle frane, non sono prevedibili. La commissione è stata accusata di aver fornito informazioni rassicuranti, con esito disastroso. La sentenza dice, sulla base delle prove e testimonianze ammesse, che senza quelle rassicurazioni alcune di quelle persone non sarebbero morte.

Gli aquilani si erano abituati a convivere con il terremoto, quando anche quella notte la terra tremò una prima volta, non uscirono di casa, erano meno spaventati perché i dottori venuti a visitarli li avevano rassicurati. Immagino lo sconcerto, l'incredulità e anche la buona fede di chi, facendo lo scienziato o il tecnico, si trova addosso un'accusa di omicidio. È vero che le case non erano antisismiche, che ognuno dispone del suo comportamento, che nessuno è stato obbligato a non uscir di casa, ma, anche se è dura da digerire, questa sentenza entra nel merito di una responsabilità condivisa, ci racconta di come le nostre decisioni siano influenzate da chi riteniamo esperto, autorevole, responsabile. Parla e mette in discussione il ruolo sociale della scienza.

I due processi a tecnici e scienziati hanno quindi caratteristiche molto differenti, ma la loro comparazione ci aiuta a comprendere l'evoluzione del pensiero e degli atteggiamenti sulla cura del territorio, delle città, sulla sicurezza dei cittadini, ma anche sul ruolo della scienza e della tecnica.

Il primo pensiero dopo la sentenza de L'Aquila, che accusa la Commissione di aver sbagliato la comunicazione del pericolo è: ma la Commissione grandi rischi dovrebbe essere uno strumento di valutazione, non di comunicazione, dovrebbe fornire, a chi ha la responsabilità e il ruolo, gli argomenti per decidere. Perché allora chiedere a tecnici e scienziati di «comunicare»? Perché esporli alle domande dei giornalisti, al «circo mediatico»?

Vediamo brevemente come sono andate le cose: L'Aquila da quattro mesi era investita da uno sciame sismico culminato in una scossa più forte il 30 marzo 2009. Per dare una risposta alla paura e alle domande dei cittadini fu organizzato questo consulto di luminari al capezzale del malato. Le motivazioni della sentenza riportano un resoconto dettagliato del consulto. E quello che si legge non sono discorsi scientifici, elementi di valutazione sullo stato delle cose. Per dirla brutalmente: l'impressione, più che di un esame su un problema grave, è piuttosto, appunto, di una messinscena mediatica: la riunione durò meno di un'ora, e fu chiaramente condizionata dalla fretta di rientrare a Roma, dalla carenza di elementi per esprimere valutazioni scientifiche. Ma soprattutto è come se l'esito del consulto fosse predeterminato: bisognava rilasciare interviste. Bisognava comunicare ai cittadini l'assoluta «mancanza di relazione tra lo sciame sismico in corso ed eventuali forti scosse a venire». E questa affermazione, si deve ammettere, ha una base scientifica, ma non il corollario che fu aggiunto e cioè che più scariche di energia facevano il terremoto meno probabile, allontanavano l'eventualità di una forte scossa. Questa fu una rassicurazione disastrosa, afferma la sentenza.

Ecco: andrebbe raccontata minuziosamente la storia di quel rischio per capire bene le questioni che abbiamo di fronte oggi e che, in nuce, si intravedevano negli anni Sessanta, ai tempi del Vajont. Le questioni sono il crescente dominio dell'informazione e del ruolo degli scienziati in un mondo in cui la realtà la fanno gli uffici stampa piuttosto che i tecnici e gli studiosi. E infine, in questa complessità, il ruolo dei politici.

Capisco il punto di vista di chi dice «adesso non solo mancheranno i chirurghi ma anche sismologi e analisti dei rischi ambientali». Nessuno vorrà più farlo se li condannano. Dicevano così i commentatori della sentenza sui giornali e in televisione. Lo capisco, ma è un po' troppo «realistico», troppo italiano e troppo rassegnato come punto di vista.

In un'intervista a un giornale italiano, due veterani della comunicazione del rischio, Peter Sandman e Jody Lanon, pur auspicando, in una loro intervista precedente alle sentenze, l'assoluzione degli imputati. osservavano criticamente: «Gli scienziati non sanno comunicare; quando parlano tra loro tendono a enfatizzare le loro lacune di conoscenza, quando parlano in pubblico spesso danno l'impressione di sapere tutto». Allora voglio cominciare a proporre una parola: equilibrio. Ho l'impressione che in tutta questa faccenda, come nella vecchia storia del Vajont, quello che è mancato sia l'equilibrio tra dubbi e certezze. L'equilibrio è indispensabile alla comprensione. E la misura della capacità di comprendere la questione la fornisce uno degli illustri membri della Commissione grandi rischi, che, dopo la condanna, in un'intervista, affermò «non ho ancora capito per cosa sono stato condannato».

Erano più o meno le stesse parole con cui un geologo del Vajont, Edoardo Semenza, figlio di Carlo, il progettista della diga, mi rimproverava il 9 ottobre del '97. Mancavano due ore alla diretta televisiva del *Racconto del Vajont*, e, mostrandomi le sue pubblicazioni sulla frana, cercava di dimostrare che era lui che aveva capito tutto da subito e non l'altro geologo, Müller. cercava di farmi capire i suoi meriti. Gli chiesi: «Ma si rende conto che dicendomi questo lei afferma di aver previsto in anticipo e di non aver fatto nulla per impedirlo? Avrebbero potuto condannarla per questo». Mi guardò come fossi un ingenuo: «Non capisco in che senso lo dice, io quelle cose le avevo scritte, perché avrei dovuto essere condannato?». Tutti i condannati de L'Aquila si sentono offesi dalla sentenza, e non la capiscono.

Ma proprio questo è il punto. Le comunità scientifiche dovrebbero permettere che si giudichino i propri membri. Non dovrebbero comportarsi come famiglie massoniche. E noi, noi cittadini, voglio dire, abbiamo il dovere di pretendere che gli scienziati non facciano abuso di ruoli e di *autoritas* per vendere pacchetti preconfezionati di notizie e opinioni a buon mercato. Chi non lo fa merita grande attenzione e rispetto. Non si pretende che tecnici e scienziati rinuncino a prestigiosi incarichi di consulenza. Abbiamo bisogno della loro competenza. Ma proprio per questo chiediamo loro di ragionare da scienziati sempre, anche quando provano ad aiutarci a capire. Questo si può pretendere. Quello che serve, più che altro, è un'altra cultura, con regole non scritte di cittadinanza. Regole fondate su una giustizia non punitiva ma riparatoria. La punizione dei chirurghi, come di geologi, di sismologi e di ingegneri, serve solo da deterrente alla conoscenza, serve a scoraggiare le imprese. Ma non possiamo rinunciare alla riparazione, che passa attraverso la comprensione profonda degli eventi, attraverso la definizione di realtà condivise, in equilibrio tra concretezza empirica e comunicazione. In definitiva: chiedere agli scienziati di tenere in ordine questo paese non si può proprio fare. Siamo tutti un po' responsabili della cura del nostro paese. Non serve cercare responsabili per consolarci e assolverci. Tocca anche a noi.

A noi stessi dobbiamo chiedere di più e aspettarci di meno: di spalare la neve davanti a casa nostra e anche un po' più in là, di segare l'erba, perché un paese fatto al settanta per cento di montagne non può che affidare la sua manutenzione a chi decide davvero di abitarlo. Anche perché prendersi cura del territorio costerebbe molto meno che rimediare ai disastri dell'incuria.

La differenza tra l'atteggiamento dei grandi giornalisti che guardavano l'evento a tragedia avvenuta e Tina Merlin, l'umile cronista locale, è che lei – una donna guarda caso – si era presa cura della storia, in prima persona, contro tutto e contro tutti. Se n'era occupata fino a diventarne parte.

Sembrerà poca cosa rispetto alla dimensione delle catastrofi, ma il senso di un anniversario, perché il 9 ottobre del 2013 sono cinquant'anni della tragedia del Vajont, è prendersi cura dei vivi almeno quanto ricordare i morti. A Erto, a Longarone, a L'Aquila ci sono due vite, non sono così distinte, ma un modo di vivere finisce con le ultime generazioni che sanno ancora prendersi in carico la manutenzione di una porzione di territorio.

Appaiono anacronistici come ogni specie in via di estinzione, ma non lo sono.

Marco Paolini
luglio 2013

11

IL RACCONTO E LA CONSAPEVOLEZZA DEL TEMPO

di Gabriele Vacis

Sono passati quindici anni dalla prima uscita di questo libro, e più di venti da quando abbiamo cominciato a pensare alla tragedia del Vajont. Quello che è successo in tutto questo tempo mi ha aiutato a capire qualcosa proprio sul tempo.

Vent'anni fa stava finendo il millennio. Nella cultura dell'epoca prevalevano due atteggiamenti opposti: prepariamoci alla fine espiando le nostre colpe; oppure: godiamoci il tempo che ci rimane. Era qualcosa che avevano dovuto conoscere già alla fine del primo millennio, quando si pensava che allo scoccare della mezzanotte del novecentonovantanove sarebbe finito il mondo. Questa volta c'era l'aggravante del *mille non più mille*. Ogni nuovo libro, ogni nuovo spettacolo, ogni nuova opera d'arte si annunciava come il gesto ultimo di un'umanità esausta. Gli intellettuali di spicco davano per compiuta la fine del romanzo, la fine del teatro, la morte dell'arte in genere. Dio era morto da un pezzo e uno storico americano, nel 1992, pensò che era arrivato il momento di sancire la fine della storia.

Quindi, quello che si vedeva vent'anni fa erano grandi spettacoli espiatori, che affondavano le radici nei rituali del pianto e della morte. Mentre sull'altro versante si imponevano orge di nonsenso effimero e giocoso.

Il teatro ha tre fonti: il rito, il gioco, la narrazione. Il rito e il gioco, declinati in mille poetiche, erano all'origine di ogni proclama finale. In questo quadro la terza fonte del teatro sembrava dimenticata o, piuttosto, inutile.

La narrazione è affermazione del tempo. Se il tempo sta per finire cosa t'importa di affermarlo? La narrazione è conferma del passato e del futuro. Se sei convinto di non avere futuro, perché dovresti confermarlo? E se non hai un futuro, che te ne importa del passato? E se la storia è finita cosa ti rimane da raccontare?...

Per la nostra generazione, cresciuta al cospetto di grandi creatori di riti finali e di giochi mortali, che possibilità c'erano? Ci rendevamo ben conto delle tragedie che testimoniavano i nostri padri. Ci scorrevano davanti agli occhi le loro visioni potenti di un'umanità offesa da Auschwitz, da Hiroshima, dai gulag. Nutrivamo grande rispetto per la loro angoscia: avevano tutte le ragioni di coltivarla e celebrarla. Certo, era un po' frustrante essere giovani mentre tutto, intorno, stava per finire. Per fortuna c'erano anche «padri» come Peter Brook e Dario Fo, che continuavano a tessere grandi racconti, che per noi erano scialuppe di salvataggio nell'oceano del senso.

Infatti, già da qualche anno, un po' clandestinamente, avevamo cominciato a frugare tra le macerie del Novecento. Quello che si trovava erano frammenti, schegge di costruzioni precedenti, che però, reincollate da nuove tecnologie come la televisione, come Internet, sembravano sagomare semplici forme di racconto. Nel teatro, in particolare, quello che sembrava riemergere era la trascurata terza fonte: la narrazione.

La realtà si frammentava. Però scoprivamo che questi frammenti di realtà, riaccostati come nei puzzle, producevano narrazioni, storie... Tempo. Sperimentavamo con sorpresa che non era vero che il tempo era finito. Oppure sì, magari era finito, però nulla vietava di fabbricarne di nuovo. E una possibilità di produrre tempo era raccontare il passato per costruirsi un futuro. Era dalla fine degli anni Settanta che provavamo a costruirci un futuro, nonostante la fine della storia. *Il racconto del Vajont* fu uno degli episodi che vent'anni fa attestarono la riconquista del tempo.

Prima c'era il «teatro di parola», che esigeva l'estrema, estenuata considerazione di ogni vocabolo: che ogni parola, in teatro, sia pronunciata come fosse l'ultima! Così si affermavano spettacoli monumentali, in cui le parole fioccavano come macigni. Ci volevano intervalli lunghi tra l'una e l'altra perché si depositassero nell'anima dello spettatore. Quando ti travolgeva la parola successiva non avevi già più memoria di quella precedente: era paradossale, ma il peso della parola annullava il «discorso», che si compone nella relazione tra le parole. Il teatro di parola, costringendo all'isolamento, alla solitudine ogni singolo lemma, dilatava il tempo fino a dissol-

14

verlo. Per contro, c'erano grandi artisti che innalzavano canti meravigliosi fatti di parole dilaniate, straziate. L'andamento tonale, la modulazione virtuosistica. Il suono aveva la meglio sul senso. L'esito era conforme: entrambe le tendenze testimoniavano la perdita di significato del testo, che annunciava la catastrofe finale: mille non più mille.

Tutto il nostro lavoro precedente al racconto del Vajont si era sviluppato in una «fucina» che era il Laboratorio Teatro Settimo. I nostri spettacoli rincorrevano la ricomposizione del tempo. Non cercavamo più le profondità abissali di ogni parola, non ci interessava più solo il loro suono. Esploravamo i legami tra le parole. C'interessava molto il suono delle parole, il loro «canto», ma perché serviva a riverberarne il senso. Il nostro non era più teatro di parola, ma «teatro di discorso».

Negli anni in cui pensavamo al racconto del Vajont si affermava anche «la televisione di parola». Per certi versi sembrava il contrario del teatro di parola, ma a ben vedere l'obiettivo era lo stesso: celebrare la decomposizione del senso attraverso il dissolvimento del tempo. La «televisione di parola» erano fluviali talk show in cui si «chiacchierava» all'infinito. Il vuoto pneumatico creato dalla massa specifica della parola teatrale si traduceva, in televisione, in un profluvio di vaniloqui che invece sottraeva peso al discorso, fino ad annullarlo.

Credo che il successo, anche televisivo, del *Racconto del Vajont*, nascesse dalla sorpresa di una parola in equilibrio tra il senso e il suono. Il che generava un «discorso» immediatamente comprensibile. Ma dove la *comprensione* non era tolleranza indulgente e la comprensibilità non era facile accesso che banalizza. La comprensione per noi aveva un gusto arcaico, come il suono di lingue dimenticate. In genere riesce molto più facile *capire* piuttosto che comprendere: è così che assorbiamo le onnipresenti immagini pubblicitarie, così guardiamo distrattamente televisori, computer, iPhone e iPad. Comprendere era qualcosa come spalancare le fauci fino a farsi scricchiolare i tendini. Vedere fino a distinguere le congiunzioni di una realtà che sembrava sbriciolarsi davanti ai nostri occhi. Ascoltare fino a sentire molte voci contemporaneamente: quelle che venivano da lontano, dalla televisione, dal Web, ma anche quella che arriva dalle persone che ci sono accanto... Quella che viene da altri tempi, dal passato o dal futuro, ma anche quella parola che viene pronunciata qui, adesso.

15

Credo che nei quindici anni dalla pubblicazione di questo libro, la narrazione abbia cominciato ad affermarsi come strumento per produrre tempo, e quindi realtà. Che è poi un gesto antico come il mondo. Qualche volta, soprattutto nelle parole di certi politici che intendono la narrazione come fabbricazione di verità a proprio uso e consumo, si ha addirittura l'impressione di un abuso della pratica narrativa. E in effetti quando la narrativa sia slegata dalla comprensione può produrre esiti inquietanti. Ma alla fine credo che la pratica del narrare significhi riconciliarsi con il tempo, con il succedersi delle generazioni. L'unica possibilità per uscire dalle secche della contrapposizione tra cogliere l'attimo e coltivare la memoria o progettare il futuro. Forse *riconciliarsi con il tempo* significa semplicemente «stare», coltivarne la consapevolezza.

Gabriele Vacis
luglio 2013

IL RACCONTO DEL VAJONT

Dal 1993 a oggi Marco Paolini ha raccontato la vicenda del Vajont centinaia e centinaia di volte: prima in casa di amici, poi nelle piazze, nei circoli culturali, nelle scuole, negli ospedali, nei centri sociali, nelle fabbriche, alla radio, e naturalmente nei teatri e nei festival.

Quella che segue è la trascrizione di uno di questi *Racconti del Vajont*, così come si è sedimentato e trasformato nel corso degli anni, attraverso un costante lavoro di documentazione e nell'incontro con migliaia di spettatori. Della narrazione orale abbiamo cercato, per quanto possibile, di mantenere le caratteristiche: la costruzione della frase, i ritmi e le cesure, la ripresa di temi e formule, il dialogo sempre aperto con l'ascoltatore, la molteplicità dei punti di vista e delle voci, eccetera.

La divisione in capitoli e i relativi titoli sono stati inseriti per offrire al lettore una migliore possibilità di orientarsi nel flusso della narrazione.

Quanto pesa un metro cubo d'acqua?

No, no, non preoccuparti di rispondere esattamente. Basta che ci mettiamo d'accordo.

Un metro cubo d'acqua? Mille chili, una tonnellata. Una tonnellata va bene?

Le frane le misurano a metri cubi. Il metro cubo è l'unica cosa che resta fissa, perché poi la densità, e il peso, cambiano. Allora bisogna prendere quest'unità di misura, l'unica cosa abbastanza certa, bisogna prendere i numeri, però poi bisogna metterli vicino alle cose, ai nomi, per vedere se scatta qualcosa.

Un nome: Stava.

Ti dice niente?

Val di Stava, una conca tra Bolzano e Trento. In cima alla Val di Stava, lassù in alto, c'era una diga di terra e dietro c'erano i fanghi, gli scarichi di una miniera Montedison. Dopo che è piovuto un bel po', il 19 luglio 1985 la diga non ce la fa più: scoppia. Tutto quello che c'è dietro alla diga, 450.000 metri cubi di fango, va giù a spazzare via dalla faccia della terra il paese di Stava e una fetta del paese vicino, Tesero. Duecento-sessantotto morti.

Quattrocentocinquantamila metri cubi.

Un altro nome: Valtellina. Stesso mese, luglio. Però del 1987. La frana della Valtellina è più grossa di quella della Val di Stava, è parecchio più grossa, cento volte più grossa: 45 milioni di metri cubi di montagna cascano in fondo alla Valtellina a fare uno schizzo lungo due chilometri che cambia la geografia della valle.

Quarantacinque milioni di metri cubi.

E allora un altro nome: Vajont. Ti dice niente Vajont?

9 ottobre 1963. Dal monte Toc, dietro la diga del Vajont, si staccano tutti insieme 260 milioni di metri cubi di roccia.

260 milioni di metri cubi.

Vuol dire quasi sei volte più della Valtellina.

Vuol dire seicento volte più grande della frana della Val di Stava.

Duecentosessanta milioni di metri cubi di roccia cascano nel lago dietro alla diga e sollevano un'onda di 50 milioni di metri cubi. Di questi 50 milioni, solo la metà scavalca la diga: solo 25 milioni di metri cubi d'acqua... Ma è più che sufficiente a spazzare via dalla faccia della terra cinque paesi: Longarone, Pirago, Rivalta, Villanova, Faè.

Duemila morti.

La storia della diga del Vajont, iniziata sette anni prima, si conclude in quattro minuti di apocalisse con l'olocausto di duemila vittime.

Come si fa a capire un fatto come questo?

Capire che peso ha avuto, che peso ha?

Dove va a cadere il peso di certi avvenimenti?

Che pressione fanno sulla morale delle persone, come incidono sui comportamenti di una comunità, nelle scelte di un popolo?

Quale clima raddensano in un paese?

1. *Longarone non c'è più*

Io il 10 ottobre andavo in seconda elementare.

Mi sveglio. Mattina sette e mezzo. Mia mamma piange.

Non avrà mica già litigato con mio papà alle sette e mezzo del mattino?

Non era a casa mio papà.

Mi ricordo il giornale radio: «*Longarone non c'è più*».

Longarone?

Non avevamo mica dei parenti noi a Longar... Aspetta, no, aspetta... Ma certo, ero un bambino ma io Longarone me la ricordavo... Eh sì che me la ricordavo: per me all'epoca Longarone era una stazione sulla ferrovia delle vacanze. Perché noi andavamo in vacanza sempre nello stesso posto e quindi io le stazioni le avevo imparate a memoria.

Andare in su, venir in giù, sempre la stessa strada, le stazioni le sapevo tutte... Guarda, diobono, a scendere le stazioni si chiamavano:

Calalzo di Cadore...

Tutun-tutun-tutun...

...poi c'era Sottocastello, che c'è un'altra diga, ma il treno non fermava nianca...

Tutun-tutun-tutun... poi c'era Perarolo...

Tutun-tutun... Ospitale...

Tutun-tutun... Termine...

Tutun-tutun.... Castellavazzo...

Tutun-tutun... Longaroneeeeeee!

Ecco la valle della sciagura: fango, silenzio, solitudine e capire subito che tutto ciò è definitivo; più niente da fare o da dire. Cinque paesi, migliaia di persone, ieri c'erano, oggi sono terra e nessuno ha colpa; nessuno poteva prevedere. In tempi atomici si potrebbe dire che questa è una sciagura pulita, gli uomini non ci hanno messo le mani: tutto è stato fatto dalla natura che non è buona e non è cattiva, ma indifferente. E ci vogliono queste sciagure per capirlo!... Non uno di noi moscerini vivo, se davvero la natura si decidesse a muoverci guerra...

Belle parole, potenti... Bellissime!

Eh, non sono mica mie... Queste sono le parole di uno dei giornalisti più importanti della nostra Repubblica: Giorgio Bocca, su «Il Giorno», venerdì 11 ottobre 1963.

Mica solo lui. Gli inviati speciali sul luogo della sciagura sono i giornalisti più importanti del paese. Arrivano la notte stessa, quasi mattina, spaventati come formiche sotto la diga, perché non è mica facile anche solo arrivarci, non è facile anche solo capir dove sei... È solo fango qua... Non sanno neanche più dove mettere i piedi, perché gli tiran sassi, anche, ai giornalisti... «Via de qua! State pestando la mia casa!» «Via coi piedi che gh'è i morti a cavar su...» E in mezzo a questi signori ce n'è uno di Belluno, e la diga è là, sul confine tra il Veneto e il Friuli, allora per questo signore è diverso... La storia, lui che è di Belluno, la sente più degli altri. E scrive, ispirato, sul suo giornale:

Un sasso è caduto in un bicchiere, l'acqua è uscita sulla tovaglia. Tutto qua. Solo che il sasso era grande come una montagna, il bicchiere alto centinaia di metri, e giù sulla tovaglia, stavano migliaia di creature umane che non potevano difendersi. E non è che si sia rotto il bicchiere; non si può dar della bestia a chi lo ha costruito perché

21

il bicchiere era fatto bene, a regola d'arte, testimonianza della tenacia e del coraggio umani. La diga del Vajont era ed è un capolavoro. Anche dal punto di vista estetico.

Dino Buzzati, è lui lo scrittore, sul «Corriere della Sera», venerdì 11 ottobre 1963.
La diga del Vajont era ed è un capolavoro.
Era ed è?
Come sarebbe «*era ed è*»?
Sì, per forza! Perché la diga del Vajont non era crollata come pareva al primo momento.
No, figurati! Era là, ben salda. Come ha detto Buzzati.

2. Se vuoi diventar grande, leggi libri

L'estate del 1964 il tratto di ferrovia che passava per Longarone era risistemato.
E così noi abbiamo ricominciato ad andare in vacanza sempre nello stesso posto... Fino a diciassette anni, finché non mi sono divincolato dal giogo fatale delle vacanze di famiglia, io sono andato in vacanza sempre nello stesso posto. E allora vai, in treno, col naso incollato sul finestrino...
Tutun-tutun... Perché nel '64, noi, la macchina non ce l'avevamo...
Tutun-tutun... E poi vuoi mettere il treno? Il treno è tranquillo, rilassante, lui va e tu ti abbandoni, chiacchieri, leggi, guardi... Il treno non ha pretese di visione totale, non ha certezze assolute...
Tutun-tutun... Il treno ha una visione laterale della vita: se sbagli lato, sei fregato...
Tutun-tutun... Con il naso incollato al finestrino...
«È questa la valle?»
«No, 'spetta...»
Tutun-tutun...
«È questa la valle?»
«No, 'spetta...»
Tutun-tutun...
«È questa la valle?»
«No, 'spetta...»
«Ma quando arriva?»

«Longaroneeeee!»

Quando il treno arrivava in stazione, per un minuto la vedevi: la diga bianca in mezzo alle montagne nere. E ti montavan dentro due sentimenti: il sentimento delle mamme e il sentimento dei papà.

Il sentimento delle mamme si chiamava: «Povera Longaron, povera Longaron, povera Longarone». Era un sentimento per fondamenta: fondamenta senza muri che venivano su in mezzo alla ghiaia del Piave che aveva riempito tutta la valle, e a noi bambini avevano spiegato che sotto quei sassi c'erano ancora i morti, perché non li avevano trovati tutti. E allora io avevo questo sentimento disciplinato a nome «Povera Longaron, povera Longaron, povera Longarone».

Però io, bambino, non potevo fare a meno di avere anche un altro sentimento: quello dei papà, per la diga. Perché era rimasta su. E io, bambino, pensavo: «Ma insomma... la montagna è cascata, ma la diga ha tenuto! Il suo dovere l'ha fatto. Se fosse cascata la diga, sarebbe andata peggio, no?». E allora un po' di consolazione ti resta dentro.

Con questa consolazione qua si diventa grandi. Anche perché poi i maschi... Guardali, a una certa età dello sviluppo, noi maschi, tutti, davanti a una diga, tutti là: impiantati. Come davanti a una portaerei, là! Guardaci, noi maschi, a una certa età dello sviluppo, davanti a una portaerei... Sempre tutti là: impiantati! E non c'entra niente che poi da grande diventi anche pacifista, e magari fai l'obiettore di coscienza. Non c'entra niente. È che a un certo stadio dello sviluppo, se vedi la portaerei, qualcosa dentro lo senti...

È che si intuisce che là dentro c'è qualcosa, no?

E cosa c'è?

C'è il segreto del progresso.

È il sentimento dei papà. È da Ulisse che ce lo insegnano: «Vai, piccolo!». Spingersi avanti, imparare, oltre le colonne d'Ercole... «Guarda, guarda l'aereo che decolla...» Man mano che cresci te lo ficcano nel cervello: «Papà, mi porti all'aeroporto?».

Avanzare, conquistare.

«Senti? Senti il rombo? Lo senti cos'è? Questa qui è la Ferrari, lo riconosci?»

E poi: «Vieni, papà, vieni a vedere, c'è Gagarin in televisione!». Jurij Gagarin... «Guarda, guarda! L'Apollo 11 che alluna!»

La civiltà, il Lem, e anche $E=mc^2$, e l'atomo... E *davvero viviamo in tempi atomici*... E Armstrong, Aldrin e Collins... E superare i limiti: scendere sotto i nove e novanta! Il progresso...

Non puoi sfuggire, lo insegnano anche a te, il progresso, così ti vien voglia di progredire, in fretta, di crescere, crescere subito.

E come fai a crescere? Leggi libri!

Questo mi dicevano sempre: «Vuoi venire grande presto? Leggi libri».

Ogni viaggio in treno un libro: *I ragazzi della via Pal.* Bello! Letto.

Altro viaggio: *Ventimila leghe sotto i mari.* Bello! Letto.

Altro viaggio, altro libro. *I pirati della Malesia, Le tigri di Mompracem, Sandokan.* Bello!

E la perla di Labuan! Bellissima!

Altro libro, altro viaggio. *Ivanhoe*, due volumi. Due viaggi: andata e ritorno. Si diventa grandi per forza con *Ivanhoe!*

Dopo arrivano i libri che ti scegli tu, quelli che compri coi tuoi soldi. Il primo: *Siddharta.* Capivo niente la prima volta, ma bello! E poi *Cent'anni di solitudine.* Bellissimo. Capivo niente tre volte, ma bello, bello, bello! Un anno, mi ricordo, ho letto anche *Porci con le ali:* una porcheria! Io non so a cosa serve leggere quella roba là... È che per diventare grande devi leggere tutto e non puoi saperlo prima se è una porcheria o no.

Un anno, alla stazione di Calalzo, suona la campanella, arriva il treno, finite le vacanze più noiose della mia vita: «Le ultime vacanze in famiglia: giuro!». Solo che dalla noia avevo letto tutti i libri che mi ero portato... «E adesso, per il viaggio di ritorno, come faccio?» Edicola della stazione. Giallo Mondadori: mai piaciuti. Urania: già letto. *Sulla pelle viva. Come si costruisce una catastrofe. Il caso del Vajont.*

Vajont? Mi interessa? Non c'è altro... «E in partenza dal primo binario...» Dai, dai, compra il libro, parte il treno... Tutuntutun... Leggi il libro... *Sulla pelle viva...*

Tutun-tutun... *Come si costruisce una catastrofe...* Tutun-tutun...

Tutun-tutun... *Come si costruisce una catastrofe?* Ma non hanno costruito una diga?

Tutun-tutun... E la diga non era costruita bene? A regola d'arte?

Tutun-tutun... *La diga del Vajont era ed è un capolavoro...*

Tutun-tutun... *Nessuno ha colpa; nessuno poteva prevedere. In tempi atomici si potrebbe dire che questa è una sciagura pulita, gli uomini non ci hanno messo le mani...*

Tutun-tutun... *Tutto fatto dalla natura che non è buona e non è cattiva, ma indifferente...*

«Longaroneeee!».

3. *Tina Merlin: a volo d'angelo*

Ma la diga non era costruita bene, a regola d'arte?

Come si costruisce a regola d'arte... che cosa?

Una diga o una catastrofe?

Ma chi è che ha scritto 'sto libro?

Tina Merlin.

E chi è Tina Merlin?

È Giorgio Bocca? È Dino Buzzati?

Chi è Tina Merlin, eh?

Leggi il risvolto di copertina, che te lo dice.

Giusto.

Allora, 'spetta, fame veder... «*Tina Merlin, nata a Trichiana (Belluno) nel 1926. Morta nel '91. Ha svolto attività giornalistica dal 1951 lavorando per trent'anni all'"Unità"*». Ah!

Eh, eh, eh!...

Capìo tutto. Eh, dai... Per piacere!

«l'Unità» negli anni Sessanta non era un quotidiano, era un bollettino di partito! E in Val del Piave vendeva sette copie: sei copie per gli iscritti al Pci, una copia per l'osteria di Piero Corona, che aveva fatto la resistenza e quindi la comprava. Dopo la nascondeva sempre sotto il «Gazzettino», ma il suo dovere intanto lo faceva ogni giorno.

«*Corrispondente locale dell'"Unità"*.» Ma fammi un piacer...

E non è finita. Senti cosa dice ancora il risvolto di copertina: «*Ha partecipato alla resistenza come staffetta partigiana nel bellunese*». Allora ho capito tutto sul serio!

Perché io sapevo tutto dei partigiani, fin da piccolo... Perché mi hanno tirato su bene a me. Io lo sapevo che i partigiani durante la guerra stavano in montagna, sulle malghe, in gruppo. Eh, ciò, per forza... Perché in montagna da soli, di notte... Fa paura...

25

Però ci vuole qualcuno che faccia il collegamento tra una squadra e l'altra, tra una malga e l'altra... E chi ci mandi?

Una donna, no?

Eh, ciò, mi par giusto! Così, oltre che dei tedeschi, deve aver paura di tutti quelli che trova per strada!

Perché dopo tutto è pur sempre una donna, anche se imbottita di documenti e carte nascosti sotto la camicetta, dentro le mutande, da tutte le parti... E allora cosa fa 'sta disgraziata?

Pedala!

Via con la bicicletta e addosso la paura che ti fermi qualcheduno per farti comunque del male... E dove finisce la strada... Frena! Nascondi la bici in mezzo ai cespugli e su, a piedi, per le mulattiere, che poi finiscono anche quelle, e ci sono solo piante, e alberi e bosco...

Prova una volta! Dai, prova! Fa paura... Dietro a ogni albero può esserci qualcuno che ti aspetta, sai? Perché magari lo sanno che strada fai... E allora corri... Sempre di corsa. Sempre in ritardo. Una bersagliera!

Ecco cos'era una staffetta partigiana.

Però... A una che fa quella vita lì a vent'anni... Per scelta, sì, d'accordo, ma è dura lo stesso... A una che fa quella vita lì a vent'anni, vuoi che in cambio di tutta 'sta fatica, di tutto 'sto pedalare e correre, vuoi che non le sia mai capitata una occasione di quelle che... ma, sì, dài... Chi va in montagna capisce al volo.

Ascolta: come una di quelle volte che ti sei alzato la mattina presto... Ancora buio, palpebra pesante, lingua spessa. Carica zaino, metti barra di Carrarmato Perugina... E il siero antivipera... A cosa servirà poi il siero? Dopo dodici passi sudi già. Dove guardo? A terra? Dove si guarda quando si cammina in montagna? Conviene guardare in su, no? Ma il sudore entra negli occhi, brucia... Il sudore ha la stessa composizione chimica della pipì... E a sudare così ormai da ore, sotto lo zaino ti si offende la prostata... «Marcia e tasi!» Verso il rifugio che è là... E son tre ore che è là... E come fa a esser sempre là se cammini da tre ore? Chi cazzo è che sposta i rifugi in montagna? Perché spostarli li spostano... Magari lo fanno per il tuo bene, ma li spostano! «Marcia e tasi!» Verso la gloria... E sudi... Ecco: sta' attento, ci ho messo anni a capirlo.

Tu sei là che sudi come un becco... e son già un bel paio

26

d'ore abbondanti che ti domandi chi te l'ha fatto fare, e guardi giù, e guardi avanti... Poi tutto un momento ti casca l'occhio indietro...

Eccolo là... È in quel momento lì che capisci... Capisci da solo perché son tre ore che marci, e sudi, sudi come un becco... È in quel momento che capisci perché valeva la pena di far tutta la fatica del mondo per arrivare lì.

In quel momento lì.

Perché giù, in fondo alla valle da dove sei partito, è tutto coperto di nuvole, adesso.

Ma tu sei sopra.

E sopra è limpido. 360 gradi. Intorno è tutto limpido. Le crode là, a una a una, che puoi toccarle con le mani... Che se vuoi ci voli sopra, ci voli... Come il rapace.

E allora vuoi che alla Tina Merlin a vent'anni, staffetta partigiana, non le sia mai capitato di voltarsi un momento e di vedere?

Sei tu e l'infinito.

Eccolo là il libro della Merlin.

Ecco che cos'è: non è un'altra storia, è la stessa storia ma da un altro punto di vista.

Non il punto di vista degli specialisti, delle formiche... Niente a che vedere con quelli che arrivano dopo la tragedia, spaventati, e non sanno neanche dove mettere i piedi perché gli tirano i sassi.

No, questo è il punto di vista del falco.

Prospettiva a volo d'angelo.

Sguardo di chi le cose invece le ha viste da prima.

Dall'alto.

Da sopra.

E infatti la Tina non ti racconta la storia della «Povera Longaron, povera Longaron, povera Longarone» che è stata rasa al suolo, cancellata. Naturalmente, giustamente, è diventata protagonista della tragedia.

La Tina Merlin non ti racconta tanto quella storia lì.

No.

Lei non parla dei protagonisti: parla dei comprimari. Tina racconta la storia di altri due paesi.

Due paesi che non sono stati distrutti, ma solo lesionati. Quindi ce li siamo dimenticati. Anche perché da sotto la diga, dalla stazione di Longarone, quei due paesi mica si vedevano:

ci stavano sopra, sulla sponda del lago dietro alla diga, dalla parte friulana del Vajont.

E poi sono due paesi che non puoi neanche metterli sui libri di scuola, perché hanno un nome così sconveniente che non si può nemmeno chiamarli in pubblico senza commettere turpiloquio: Erto e Casso.

A scelta nell'ordine.

4. Ma come è che comincia questa storia?

A Erto e a Casso, dal 1956 al 1963, s'è combattuta una guerra.

Da una parte c'erano i due paesi, dall'altra c'era la società che costruiva la diga.

È abbastanza facile di solito dire quando è cominciata una guerra. Il difficile è dire quando è cominciata la vigilia della guerra.

Come sarà cominciata la vigilia della guerra tra Erto-Casso e la diga?

Potrebbe essere cominciata nel 1929, col disgelo, con la riapertura della strada carrozzabile militare.

Forse comincia su un sidecar...

Forse il sidecar Gilera era rosso sotto la crosta di fango e polvere... Forse a bordo c'erano due passeggeri. E dietro, di fianco, davanti alla pancia, i bagagli... È stracarico il Gilera che spompetta su per la carrozzabile... E sopra ci sono bagagli, zaini in pelle, piccozze, strumenti di rilevazione, un teodolite lucido... E paline bianche e rosse, di quelle da misurazione, piantate sul culo del sidecar a fare la ruota come le penne sul culo del tacchino. E spompetta su per la carrozzabile il sidecar, carico di strumenti, e sopra tutti gli altri strumenti: una macchina fotografica.

Guarda, guarda: costume tipico di Erto! Che costume?...

«Fermo, fermo là!»

Paff! Contadino di Erto.

Paff! Malgari di Casso.

Paff! La pastora.

Paff! Paff!...

«Ma che simpatici 'sti due fotografi!»

Questi due fotografi, dopo solo una settimana che sono

qua in paese, sembra di averli sempre conosciuti: «Gentili...
Signori... E poi studiati».

Eh sì, due lauree e quattro occhiali in due: due occhiali da
vista e due occhiali da moto! Quanto alle lauree, uno è ingegnere: Carlo Semenza. Fa calcoli: bloc-notes, regolo calcola-
tore... Gira in trench. Dà i numeri. Regolare. Quell'altro?
Mah... «Gieologo, el dise...» Va in giro, fa passeggiate... «Raccoglie impression gieologiche dalle montagne.» Giorgio Dal
Piaz. Barba da frate indovino... Come sarà stato Giorgio Dal
Piaz? Sarà stato grasso?... Ma sì, se l'ingegner Semenza era magro, segaligno e alto, Dal Piaz era sicuramente grasso, se no la
coppia comica non viene bene. Però non si capiva quanto fosse grasso del suo e quanto fossero le pietre e i sassi che ci si
riempiva le scarselle...

Dopo un po' di tempo che son lì in paese, un giorno come
gli altri, si sente spompettar di sidecar. Van via l'ingegner e il
geologo. «Peccato, eran simpatici...» Ma prima di partire scat-
tano le prime due foto-cartolina dei paesi.

Paff! Panorama di Erto.

Paff! Panorama di Casso.

Guarda qua, le cartoline... Guarda... In quella di Erto si vedono i camini delle case, tutti piegati indietro per arrivare a
sputare fin sui marciapiedi di Casso, quattro chilometri di-
stante. In quella di Casso, che ovviamente va vista in piedi, c'è
il campanile del paese piegato indietro per arrivare a pissare
sulle tegole di Erto, stessa distanza.

Un ben dell'anima si vogliono... E come no? Non è sempre
così, nei paesi? Paesi confinanti, dài... No i se pol veder...

Solo che questi qua non son neanche due paesi.

Sono due parti dello stesso paese. Un catasto poco sensibile alla toponomastica li ha riuniti a nome Erto-Casso.

Ma Erto e Casso non si amano. Sono separati in casa.

Non ci si sposa mica tra gli uni e gli altri... Cosa ci metti sulle partecipazioni? Parolacce?

Due lingue distinte: quelli di Erto, in fondo alla valle, parlano un friulano duro. È ladino antico, quello.

Quelli di Casso, che si dice siano arrivati dopo in valle, parlano invece più un bellunese cadorino. Quelli di Casso trafficano con Longarone, con la Val del Piave. Tanto quanto quelli di Erto trafficano con la Valcellina, in Friuli.

Divisi in tutto.

Le uniche parole in comune: le bestemmie.

Bestemmie a obice.

E siccome c'è la valle e la collina di mezzo che non ti fa vedere il paese avversario, per colpirlo devi tirarla su, la bestemmia, in alto, così disegna traiettoria a parabola e casca in testa agli altri.

Questo fin che dura la buona stagione. Poi, d'inverno, si chiudono in casa. Si taglia tutto quel che c'è da tagliare di piante, si fa scorta e si taglia, ma attenzione a come si taglia! La legna per far fuoco non si guarda tanto, ma l'altra... L'altra serve da lavorare. Tutto l'inverno: alè tazze, alè cucchiai, alè taglieri, alè mestoli. Attrezzi da cucina fatti a mano, in legno, li fanno tutti! Tutti han il buso sul manego. Così a primavera basta passare una corda attraverso per trovarli legati insieme e issarli, meglio sulla schiena della zia, della cognata, della suocera... Sempre donne, che poi vengono invitate a vendere i prodotti dell'artigianato locale ai mercati della pianura. A piedi... «Tanto è discesa.» «Vai cara!» «Ciao bella, ciao, bella ciao, ciao, ciao...»

Le Nerte le chiamavano queste donne ambulanti per i mercati della piana. E venivano da Erto e da Casso... Paesi duri, contadini ignoranti, dove se avevi una bestia nella stalla te la cavavi, se ne avevi due eri un benestante, bastava che avessi il fieno per farle campar tutto l'inverno...

Per finire questa fotografia veloce: nel 1956, quando parte la storia, Erto faceva 850 abitanti e nove osterie. Casso, stesso anno, fa 450 abitanti e due osterie. La media è più bassa, quindi Erto fa il capoluogo.

D'altra parte le osterie sono il centro della vita sociale del paese: dove diavolo vuoi andare di sera?

Ma che televisione!

L'osteria era spesso una stanza della casa dell'oste con stufa e uso bottiglione. Nelle osterie si discute, si gioca e... si bestemmia con una regolarità impressionante: tanto che i due parroci hanno rinunciato a estirpare sia osterie che bestemmie. Dicono che esula dalla missione pastorale. È vero! A quel punto la bestemmia non c'entra più niente con la religione. C'entra con la sintassi: sostituisce tutti gli articoli e le congiunzioni conosciute tra una parola e l'altra! Cava la bestemmia e non scorre più il discorso! Cosa c'entra la religione?

A Erto fanno una di quelle processioni del venerdì Santo che son segnate sui libri. Da andare a vedere una volta nella vita. Processione con le catene vere, che quando le femmine sentono il ferro che sbatte sul marmo della chiesa gli viene la palpitazione e si accende la passione... Prendono il giovanotto più prestante del paese e gli fanno fare il povero Cristo. Nudo. Una Via Crucis come Dio comanda. A suon de moccoli. Lo mette in crose quanto basta, poi lo slegano e tutti a bere in osteria.

Spesso dimenticano il Giuda impiccato sull'albero.

Non è cattiveria... Solo che da quelle parti, a Pasqua, non è che sia tanto caldo... Ora che un si ricorda e va a slegare il Giuda, quello è giassà, surgelato! Lo han tenuto in vita le gran bestemmie lanciate ai compaesani... Per calmare l'Iscariota, e scongelarlo, bisogna portarlo in osteria, e là trincan tutti fino a notte fonda. Ed è per questa fondatissima ragione che da quelle parti, a Messa prima, a Pasqua, trovi solo donne. Gli uomini devono ancora rimettersi dalla passione del venerdì santo.

Paesi poveri, dimenticati da Dio forse no, dagli uomini sicuro che sì.

La prima strada in quella valle l'han fatta gli austriaci nel 1915, per far cucù agli alpini sopra il Piave durante la grande guerra, se no lì, una strada, chissà per quanto tempo ancora l'avrebbero aspettata...

Ed è proprio per quella strada che nel 1929, su un sidecar Gilera, forse rosso, arriva la SADE.

5. La SADE

Chi è la SADE?

Non è il marchese.

È un conte? Ma no! È una sigla: Società Adriatica Di Elettricità.

È una società idroelettrica privata di proprietà di un conte. All'inizio del secolo le società idroelettriche erano tutte private. Questa SADE l'ha fondata nel 1905 uno dei più straordinari capitalisti del nostro secolo.

La parola *capitalista* è tanto passata di moda che non la usa più neanche Fidel Castro, ma per questo signore è la parola giusta, perché lui girava proprio col monocolo e il cilindro, come quelli delle caricature.

E chi è?

Il conte di Misurata. Un uomo straordinario. Nominato conte di Misurata dal re d'Italia per meriti speciali nella campagna d'Africa.

E chi è il conte di Misurata?

Giuseppe Volpi, conte di Misurata. Eclettico! In quegli anni, oltre alla società idroelettrica che agisce in regime di monopolio su una fetta di territorio italiano (Veneto e Friuli) di sua competenza, si occupa di mille altre cose.

E chi è Giuseppe Volpi?

È uno che quando ha un'idea brillante, la realizza.

Sua l'idea di fare Porto Marghera in mezzo alla laguna di Venezia. Sua l'idea di fare la Compagnia Italiana Grandi Alberghi, la CIGA Hotel. Sue mille altre idee tra cui la Mostra del Cinema di Venezia, dove ancora c'è una Coppa Volpi al miglior attore che ne perpetua il nome.

È chiaro che quando uno così si lancia in politica, lo fa alla grande: nel '22 si iscrive al Partito nazionale fascista, nel '23 è già ministro delle Finanze.

Io ne conosco solo uno che ha fatto più in fretta di così. Boni... Per piacere! La gente bisogna giudicarla per quel che fa, non per quel che è: perché se no tra un po' vi mettete a giudicare anche le mamme che li hanno fatti...

Volpi, per esempio, fa del bene?

Sì.

Oh!... E cosa fa?

Come ministro delle Finanze, per esempio, fa varare al governo Mussolini leggi che finanziano a fondo perduto fino al 60% le aziende che costruiscono nuovi impianti idroelettrici.

Cioè lui?

Sì.

Quindi fa del bene?

A sé, sì. Inaugurando così una pratica che quando uno fa politica non deve dimenticar la bottega, se no va tutto a remengo.

Ma visto che qui non parliamo di televisioni, ma di serbatoi, che è quasi altrettanto grave, quanti ne abbiamo in Italia? Lo sai?

8000.

Tranquilli, li hanno contati col satellite. Manco mal. Poi hanno mandato una squadra di ingegneri del servizio dighe a misurarli tutti, questi serbatoi, perché si deve esser precisi. E gli ingegneri li hanno classificati in base alle leggi vigenti all'epoca. La legge era molto chiara, diceva: «Se lo sbarramento anteriore è alto più di dieci metri, quella è una diga». Può essere di calcestruzzo, di terra, di legno, di carta... Se lo sbarramento è alto più di dieci metri è una diga. Benissimo. Sono andati a misurarle tutte. Su 8000, 1500 erano alte più di dieci metri, e risultavano esser dighe.

Quel che non sapevo è che su 1500 ne hanno trovate 800 che erano abusive.

Io sapevo che si poteva tirar su una villetta abusiva. Anche un condominio: in certi posti ti lasciano... Ma una diga!

Il problema era grave.

Se n'è occupato il Parlamento in persona qualche anno fa.

Hanno cambiato la legge.

Adesso si chiamano dighe solo quelle sopra i 15 metri.

620 su 800 sono rientrate di colpo nella norma!

6. La centrale idroelettrica sul sussidiario

Ma adesso parliamo delle dighe idroelettriche, che in Italia sono circa 600 e bastano già. Metà sono forse dell'ENEL, che non sa quante ne ha ma le sta contando per venderle, e altrettante di gestori privati o pubblici ma diversi dall'ENEL.

Quante volte da bambini, andando a fare il picnic in montagna, giri la curva della valle e... La diga!... «Orco can, anche qua? L'anno scorso c'era mica!»

Su che *sussidiario* hai studiato? No, dico: «Su che sussidiario hai studiato?». Perché è su di lui che si fonda l'ultimo brandello di unità nazionale: sul sussidiario delle elementari!

Il mio sussidiario aveva un disegno chiaro, nitidissimo... Me lo ricordo a memoria, guarda, era fatto così. Questo era il fiume... Dove il fiume si getta in mare, lì, nel sussidiario c'era sempre *un porto operoso*... Niente facili ironie: sul sussidiario il porto è operoso per definizione. Quassù in alto stava la diga, e dietro la diga cosa c'è sul disegno del sussidiario? C'è il lago. Dalla diga uscivano i tubi che arrivavano alla centrale da cui

33

uscivano i fili: come non si sa. Perché dopo anni di scuola, come dai tubi si passi ai fili resta un mistero. Guarda: i fili seguono il corso del fiume e arrivano fino al porto operoso... Dove arrivano navi da tutto il mondo che scelgono noialtri, Italia, per scaricare le loro merci, che scaricate dalle navi sono messe sulle chiatte che risalgono i fiumi... Perché sul sussidiario i fiumi italiani sono tutti navigabili.

Le chiatte con le merci arrivano fino alla città operosa in mezzo alla pianura, le merci vengono scaricate dalle chiatte e sono lavorate dalle industrie che usano gli stessi fili che vengono giù dalle montagne.

Morale: cosa ci interessa a noi italiani se non abbiamo né carbone né petrolio? Noi abbiamo il boiler! 125 e 220 volt.

La sintesi era una formula che si ripeteva a memoria come quelle della dottrina: «L'Italia è un paese povero di risorse ma ricco di energie!». Cosa sono le energie? Ma è l'acqua! No?

Da bambino sono cresciuto con l'idea che noi italiani eravamo tutti come Leonardo da Vinci. Perché noi, sfruttando i salti dell'acqua che non costa niente, facciamo tutto. L'idea che l'idroelettrico è sano (ecologico no, perché la parola non esisteva), ma l'idea che l'idroelettrico è pulito io ce l'ho dentro fin da piccolo.

Quando nasce tutto questo?

Negli anni Trenta. Come il mio sussidiario.

Ecco: in quel periodo, per la sua incauta politica di espansione coloniale, l'Italia viene punita dalle altre potenze che mettono l'embargo sulle importazioni di carbone e di petrolio. Così bisogna varare una politica alternativa e autarchica che dia subito fonti di energia alternativa alla nascente industria bellica.

In quegli anni tutte le valli delle Alpi e degli Appennini sono percorse da gente in sidecar che va a cercare il posto giusto per costruire una nuova diga.

Allora questo disegno adesso lo togliete dal sussidiario e lo mettete direttamente su una cartina, diciamo del Veneto. Vedete che il fiume comincia a prendere un nome. Poi aggiungete un paio di specifiche, non so, «qualche affluente prima che il fiume arrivi alla foce». E alla fine battezzate il porto operoso «Venezia». Va bene?

Una cittadina qua in alto risulta Cortina, giusto? E un'altra cittadina qua, in mezzo, tra Cortina e Venezia, va a chiamarsi Longarone. A questo punto il fiume cosa sarà?

Come potrà chiamarsi?

Questo fiume, cari miei, può essere solo il Piave.

7. La banca dell'acqua

Lungo il Piave e i suoi affluenti, a partire dagli anni Trenta, gli anni dell'autarchia, la SADE ha costruito sette impianti idroelettrici.

Tutti insieme, questi sette impianti dovevano produrre un quindicesimo del fabbisogno nazionale. Non è poco, per un fiume solo.

Qual è il problema?

Il problema è il Piave.

Il Piave magari tu lo scrivi «fiume» ma, dammi retta, si legge «torrente», 'sta canaglia! Lui, di acqua: «In autunno fin che vuoi!». Ma d'inverno? «Sono gelato!» E in primavera? «In primavera, acqua fin che ti pare, fin troppa.» Ma d'estate: «Son secco!».

E non è che la SADE possa dire ai clienti: «Stai attento che io la corrente te la do da settembre fino a novembre, però da dicembre a marzo ti arrangi... Te la ridò da marzo a giugno, ma poi d'estate chiudi».

«Chiudo che?» fa il cliente. «Ho bisogno di corrente tutto l'anno!»

«Mi dispiace», risponde la SADE.«Il Piave si ghiaccia d'inverno e va in secca d'estate, e la corrente non si può metter via.»

E infatti dove la metti la corrente? In tasca?

La corrente non si può metterla via, ma l'acqua sì.

E allora?

Fate una banca dell'acqua, no?

Una banca dell'acqua?

Oh, attenti.

Per far girare le turbine che producono la corrente ci vuole l'acqua, no? Ma quando l'acqua ha fatto il suo lavoro e ha fatto girare le turbine, non è mica consumata. Non svapora mica! L'acqua ce l'avete ancora tutta, bella fresca e pulita. E voi cosa ne fate?

«La ributtiamo nel Piave.»

35

Bravo mona! Cicale! Risparmiatela, mettetela via. Invece di sprecarla, almeno una quota di quell'acqua mettetela in banca!

Via, su... Fatti un serbatoio di scorta, no? Così quando il fiume si secca, tu, con l'acqua messa in banca puoi far girare una turbina di riserva che ti compensa quelle che si son fermate!

Spiego un'altra volta.

I serbatoi idroelettrici li fanno su, in alta montagna, per due buone ragioni.

Seconda buona ragione: lassù la terra costa niente.

E prima buona ragione: lassù, a venire giù, hai più salti di acqua a disposizione per far girar turbine.

Allora: l'acqua fa girare le turbine che sono in alta montagna, poi io recupero l'acqua.

Ma a un certo punto l'acqua la devi restituire al fiume. Con calma... Io trovo un posto più in basso che mi raccoglie l'acqua già usata una volta e la tengo lì, di scorta. Al momento giusto la rimetto in circolo e la faccio fruttare. Con gli interessi, come i soldi in una banca. Solo che questa banca deve venire a valle delle altre banche.

Oh, insomma, basta con le metafore. Dove la trovo, in bassa montagna, una valle non lontana dal corso del fiume Piave che sia abbastanza capiente da diventare una banca dell'acqua?

«Bel panorama! Fai una foto.» Paff!

«Valle di Erto e Casso.»

Nella valle di Erto e Casso scorre il torrente Vajont.

Il torrente Vajont sarebbe anche uno che si impegna, però...

Tanto per avere delle misure, il Vajont è uno di quei torrenti dove si va a fare il bagno d'estate. Raccogli un po' di sassi, di quelli lisci, di fiume, un po' di fascine, qualche tronco e fai la diga, come i castori del *Manuale delle Giovani Marmotte*. Così dietro la diga viene il laghetto per farci tuffi e sguazzo. Un torrente così, pacifico, una roba da bambini... Chiaro, no?

E invece no.

Qualcuno un giorno il Vajont lo prende sul serio: ci costruiranno una banca dell'acqua.

Nella gola stretta stretta, profonda, un canyon che il torrente Vajont si è scavato per andare a gettarsi nel Piave, progettano di costruire uno sbarramento artificiale alto 200 metri.

E dietro lo sbarramento verrà un serbatoio di 58 milioni di metri cubi d'acqua.

58 milioni? Ho appena capito quanto è un metro cubo d'acqua... 58 milioni non riesco neanche a immaginarli. Son tanti? Pochi?

Come faccio a dirlo, io?

«Sei un ingegnere idraulico, tu?»

Io non sono neanche laureato, va bene?

E allora mi son fatto una spiegazione empirica, e siccome capisco fino a un certo punto, ho bisogno degli esempi.

Se vi va bene è così, se no è così lo stesso. Perché, finché non viene fuori un ingegnere idraulico che si prenda la briga – ma se la prende sul serio la briga – di spiegarci qualcosa per davvero, io più di questo non so dire.

Insomma, a me questa storia del Vajont ha incominciato a trapanarmi il cervello, e allora sono andato a fare il giro di tutte le centrali idroelettriche che avevano già costruito su per il Cadore e su per le Dolomiti prima del Vajont.

Un giorno arrivo a Sottocastello, al centro del Cadore, e sulla cabina di controllo della centrale c'era quello che stavo cercando: un murale bellissimo disegnato dalla SADE con dentro tutte le centrali, tutti i serbatoi.

Tutto quello che avevano costruito era lì, dipinto e in mostra. La cosa interessante è che vicino a ogni serbatoio c'era anche indicata quanta acqua ci stava dentro, cioè la portata.

Benissimo.

Le centrali idroelettriche in questa fetta d'Italia sono sette.

Ho fatto la somma delle portate dei sette serbatoi già costruiti e ho avuto il totale di 69 milioni di metri cubi di acqua.

Allora comincio a capire di più.

Tutti e sette insieme fanno 69, e al Vajont vogliono farne uno che, da solo, porta 58 milioni di metri cubi d'acqua? Ma è grande quasi come gli altri sette messi insieme!

Certo, l'ho già detto. Infatti questo non è un lago come gli altri, questa è la banca dell'acqua!

L'acqua, qui, non arriverà solo dal torrente Vajont, ma anche dagli scarichi di tutte le altre centrali.

Saranno costruiti 35 chilometri di tubazioni in galleria che arriveranno fino a due rubinetti pronti ad aprirsi per riempire l'intera valle del Vajont come una immensa vasca da bagno.

Provate ad andare sopra la Val del Piave, appena dopo Longarone, proprio sulla strada. Vi passa sulla testa un tubo enorme che poi buca le montagne per 30 chilometri: quelle sono le tubazioni.

Il progetto complessivo prende il nome di «Grande Vajont» e la SADE lo presenta ai Lavori Pubblici nel 1940.

8. *Il conte Volpi di Misurata, trasformista*

Nel 1940 il governo Mussolini ha altri problemi e alla SADE risponde: «No, venite l'anno prossimo perché adesso facciamo guerra alla Francia».

L'anno dopo la SADE ci riprova: «No, scusate, adesso facciamo guerra all'Inghilterra».

Che Dio stramaledica gli inglesi!

L'anno dopo la SADE... «Scusate ma dobbiamo andare in Russia.»

Anche in Russia andiamo? Non ci staremo slargando un po' troppo?

«Disfattisti!»

L'anno dopo...

«Ci dispiace ma dobbiamo far guerra all'America.»

All'America? Noialtri? Ma non siamo mica il Vietnam, noialtri!

Brutta storia... Arriva l'8 settembre del '43 e il progetto «Grande Vajont» non è ancora passato.

Se succede a uno di noi cosa facciamo?

Accantoniamo, perché ogni tanto qualcuna sbusa deve pur andare, no? Ma la SADE?

Secondo voi, chi era rimasto a Roma, al Ministero del Lavori Pubblici, dopo l'8 settembre del '43?

Il ministro Volpi di Misurata? Figurati... Ma non c'era più neanche l'usciere!

Eppure il 15 ottobre 1943 fanno il miracolo: si riunisce la quarta sezione del Consiglio superiore dei Lavori Pubblici.

Presenti in 13 su 34.

E gli altri?

Ahimè, dispersi in guerra...

«Ma manca il numero legale!»

«Ma va là, numero legale... Firma!»

E il progetto Vajont è approvato con la frode.

«Signor Conte, Signor Conte! Il progetto è...»

Già, il conte Volpi di Misurata... Dove gliela recapitano la buona notizia? «Signor Conte... Signor Conte». Al Ministero delle Finanze il signor conte non c'è mica.

Volpi di Misurata non è più ministro a Roma da anni. È diventato antifascista in Svizzera.

A me 'sti riciclati di oggi mi fanno ridere, in confronto... Ma vuoi mettere lo stile di un vero signore? Prima ministro a Roma, poi antifascista in Svizzera!

Però dobbiamo dirla tutta. In quel periodo Giuseppe Volpi passa anche i quindici giorni più brutti della sua vita: lo hanno preso le ss. Priebke, lui in persona. Lo porta in questura e gli dà di quelle sberle... Poi arriva la Croce Rossa Internazionale e ai tedeschi gli fa: «Nooo! Questo no!». La Croce Rossa lo porta in Svizzera.

E chi va a trovare appena arrivato?

Alcide De Gasperi.

E come fa lui, in quel momento, a sapere che vincerà quello lì, magro, di Trento?

Gliel'han detto gli americani! Lui è stato presidente della Confindustria, gli americani uno così lo aiutano a risollevarsi volentieri, lo consigliano a De Gasperi.

Lui va da De Gasperi e dal suo partito, la Democrazia Cristiana, e gli vende il giornale di famiglia, «Il Gazzettino». Poi regala centomila minestre ai poveri di Venezia da mangiarsi entro l'inverno '45-46 se no non vale più... I poveri a Venezia quell'inverno, verso quel febbraio '46, appena sentivano dire «Minestr...» vomitavano quella del giorno prima. Ma avete idea di cosa sono centomila minestre? Che sia stata la prima acqua alta in laguna?

Però bisogna esser giusti: Giuseppe Volpi conte di Misurata cede all'esercito di liberazione, anche se temporaneamente, alcune delle sue ville in Veneto, Lombardia, Emilia Romagna, come base ai partigiani... purché mettano le pattine e non lascino armi in giro.

Arrivano i tribunali a giudicare i personaggi compromessi con il fascismo. E Volpi?

Intoccabile.

Volpi è intoccabile per acquisiti meriti resistenziali... Santo Dio, se non ha resistenza lui!

Comunque la SADE è pronta. In pole position, per la gara alla ricostruzione.

Se l'industria bellica aveva bisogno di energia, la ricostruzione ne avrà ancora più bisogno. Il progetto «Grande Vajont» è quello che ci vuole. Nessuno va per il sottile. L'autorizzazione dei Lavori Pubblici eccola qua. Il presidente della Repubblica Luigi Einaudi ratifica la concessione e la SADE nel 1948 può presentarsi al Comune di Erto e dire: «Dovete vendere!».

E il Comune di Erto risponde: «Comandi!».

Anche perché, a quell'epoca, quando arrivava la carta bollata dello Stato, prima si ubbidiva e poi si leggeva.

Il Comune di Erto è così solerte che vende anche la terra che non è sua.

Quando cento e passa famiglie della valle si accorgono che il Comune ha venduto anche la loro terra, vorrebbero i soldi che gli spettano.

Ma il Comune li ha già impegnati.

La SADE deve prestar soldi al Comune per saldare i creditori.

Prima che la storia parta sono già tutti indebitati con i nuovi padroni.

9. Iniziano i lavori per la costruzione della diga: relazioni difficili

Nel 1956 la SADE arriva nella valle e apre il cantiere.
Proviamo un momento a metterci dal punto di vista della gente di Erto.
Per loro, dire SADE è come dire «Venessia!».
Avete un'idea di cosa significa dire «Venezia» in provincia di Belluno? Che ancora adesso quando trovano una macchina targata VE parcheggiata lungo una strada nel bosco, preventivamente, gli tagliano le quattro gomme?
Perché?
Perché intanto così guidano meglio: è assodato.
Poi perché «Venezia» son quelli che quando vanno a ciclamini li portan via con le sporte: sportivi, li chiamano. Anche a funghi vanno con la sporta, perché andando a funghi hai sempre buonissime occasioni: «Uh, va' che bei pomi!». «Porta a casa.» «Uh, che bei peri!» «Porta casa.» «Uh, banane!» «Banane?... Che banane? Saranno patate: porta a casa.» «Fagioli.» «Porta a casa...»
È tutto gratis in montagna. Hai roba buonissima, niente sorveglianti, nessuno in giro... Vai a funghi con la sporta e torni a casa con la spesa. Sportivi!
Sì, è folklore... Me l'ha raccontata così, un po' colorita, il parroco di Casso... Però, se ci pensi un secondo... Per costruirsi Venezia hanno pelato le Dolomiti. Sai che ogni palazzo della laguna appoggia su cinque, settemila pali? Le fondamenta di Venezia son le Dolomiti. La sola chiesa della Salute poggia su 320.000 palafitte: pini, larici, roveri, abeti... Prima han pelato le Dolomiti, dopo la Dalmazia...
Ecco perché quando arrivano su i veneziani quelli di Erto fanno: «Cosa venite fare, un palasso de Venessia qua in valle?».
Ma la SADE non scherza. Apre un cantiere di 400 operai su una valle di 2000 abitanti.

Gli unici contenti? Gli osti.

E il lavoro? «Il cantiere porta lavoro!» Insomma, questo è vero, lavoro ne arriva... Se uno si accontenta di spaccar pietre, tagliare alberi... Vuoi lavorare? Ce n'è... Metter mine, tutti i lavori più pesanti... E quando il cantiere sarà finito, se ne vuoi ancora di lavoro, tocca emigrare, andargli dietro...

Va be', ma intanto, in quella valle lì, nel '56, che altre possibilità di lavoro potevi avere? Ma vuoi mettere il salto sociale? Da essere contadini, andare operaio soto paròn, stipendio a fine mese, che paghi da bere in osteria! E no a credito: contanti!

Con uno stipendio compravi un radiotransistor, quello coi buchi maron: si sente niente, ma è transistor... Cinque stipendi: un Gilera 300. Dopo sei mesi vedevi le biciclette che volavan giù dai dirupi. Ciao!... Quindici giorni dopo ancora, al primo tornante in discesa, i tocchi del Gilera 300. Sdun! Chi è che sapeva tenerlo in discesa sui tornanti un Gilera 300? Il costo del benessere!

Poi, operai veneziani del cantiere e valligiani si capiscon mica di lingua.

«Ciò, com'è che se ciama 'sto paese, casso?»

«Casso.»

«Ciò pappagallo! Te g'ho dimandà come che se ciama 'sto paese, casso.»

«Casso.»

«Casso? Ciò, belùn, casso te lo digo mi...»

«No, casso, el paese se ciama Casso! Casso.»

Poi si dice: «Eh, ma son veneti tutti e due».

Chi, veneti?

Quelli della pianura e quelli della montagna non parlano la stessa lingua. «Vai a spiegarglielo a quelli di su, che quei de giù che son di più un doman decide ciamare tutto Padania!»

L'unico linguaggio in comune: le carte bollate. Quelle non le parlano gli operai. No, quelle le parlano i Carabinieri...

Non ci sono i Carabinieri a Erto?

Non c'erano, ma la SADE col cantiere ha fatto costruire una caserma.

Ma ce n'era una a Cimolais, a cinque chilometri. A cosa serve una caserma a Erto?

Serve.

Tutte le mattine va fuori dalla caserma la campagnola dei

Carabinieri con gli espropri da portare in giro. «Dovete vendere.»

«Parché?»

«Perché costruiamo un'opera d'interesse pubblico.»

«Anca mi so' un'opera d'intaresse publico.»

«Contadino ignorante! Dobbiamo costruire un serbatoio artificiale.»

«Andelo far da 'n'altra parte!»

Ma come fai a spiegare a 'sta gente ignorante, che si oppone al progresso, che tra tutte le valli delle Dolomiti solo questa ha le caratteristiche giuste per diventar la banca dell'acqua?

E perché si oppone 'sta gente?

«La SADE paga poco.»

«Ma sono terreni di montagna, non valgono niente!»

Sì, non valgono niente... Ma quello che offre la SADE è un terzo di quel niente!

Quelli non vendono e fanno il Comitato.

10. Il Comitato e l'esproprio forzoso

Avete idea di cosa può significar nel '56, a Erto, l'arrivo della democrazia diretta sotto forma di Comitato?

«E porco qua, e porco là, e porco su, e porco giù... Ghe tiro col sciopo... Altro che 'sproprio!»

«Sta' calma, nonna! Metti via el fucile, non è tedeschi questi, è finìa la guera, nonna!»

«No.»

«Per piacere, non si può sparar a tutti i forestieri solo perché han la targa di un'altra provincia. Metti via il fucile, per piacere. Dai... Brava... Qua per trattare con la SADE ci vuole uno studiato.»

«Giusto. Ci vuole uno studiato.»

Chi è studiato in paese?

El dotòr.

Il dottore è studiato per definizione. Il dottore di Erto si chiama Gallo. Il dottor Gallo è anche marito della Cate che è sindachessa e anche tabaccaia... Non c'è niente da ridere su «tabaccaia»... Troppo Fellini abbiamo masticato in questo paese... Ci sono anche tabaccaie magre... Ridi su «sindachessa», caso mai. Non son paesi facili.

Prova a pensare, nel '56, a esser sindaco e anche donna in un paese così! Questa qui era una gran donna e in più aveva i terreni più fertili della valle. Anche lei dall'esproprio aveva tutto da perdere.

E la gente: «Se il Gallo difende la Galina...».

Devo spiegare? Sai come fanno in Russia? Se lui si chiama Gallo, lei prende il cognome del marito: Gallo dà Gallina. No, non come insulto! Gallo-Gallina, come Gorbaciov-Gorbaciova.

«Se Gallo difende l'interesse de la Galina, difende anche l'interesse nostro.»

È vero! Questo è vero, scherzi a parte.

È vero perché con l'azione coordinata medico-sindaco il prezzo dei terreni sale. La SADE abbassa la cresta e alza il prezzo, le cose vanno bene! Ma quando comincia a marciare tutto dritto, tutto si blocca.

In paese gira voce che la Cate abbia già venduto la terra sua alla SADE.

«Figurate! È mìa posibil che la Cate abbia vendù.»

Possibilissimo.

Trattativa privata.

Gran donna... La vendita rende bene... Il paese è spaccato, ma... Gran donna. Ci sono quelli che fanno: «Dài, vendiamo, facciamo come ha detto il sindaco». E gli altri: «No! Adesso teniamo duro». Discussioni a ogni angolo: «Prendiamo i soldi che ci danno e amen». E quegli altri: «Amen un corno! Resistenza! Mi no mollo!». Non son paesi facili.

La SADE affronta i recidivi uno a uno: attenzione, a chi di voialtri non vende oggi, domani l'offerta è dimezzata. Dopodomani c'è la vendita forzosa.

«Cos'è la vendita forzosa?»

Contadino ignorante! Vuol dire che ti portano via la terra e ti mettono i soldi in banca, quelli che vogliono loro, senza trattative. Dopo devi dimostrare alla banca che la terra è tua.

«Ma la tera l'è mea!»

«Ma sei andato dal notaio quando è morto il nonno?»

«Mi no... Lo san tutti in paese che la terra è nostra, cossa serve regalar schei al notaio?»

«Ma dimostralo a una banca, testa dura!»

La faccio corta: ancora oggi ci sono 44 espropriati del 1956 che hanno ancora i soldi in qualche cassa depositi e prestiti, e non potranno incassarli mai. O perché non hanno le carte per dimostrare di essere i legittimi proprietari, o perché per quella maledetta diga ci son morti. Non son paesi facili.

Fine del '56.

11. La variante al progetto

Acquisiti o espropriati i terreni necessari, il cantiere della diga va a gonfie vele.

Allora, nel 1957, visto che le cose vanno bene, la SADE propone la variante in corso d'opera.

Cosa può essere?

Se mi faccio una casetta, una variante in corso d'opera è una finestra in più che non avevo previsto. Una finestra... Ma su una diga? La variante su una diga può esser soltanto una roba.

Allora, qui avevano progettato una diga alta 200 metri.

Pensa sporgerti da un'altezza di 200 metri... È come la Tour Eiffel... «No, la Tour Eiffel è quasi 300.» Be', fa paura lo stesso...

La variante cosa può essere?

61,6 metri in più!

Eh, va be', insomma... Se fa paura 200 metri, 261,6 non è poi tanto diverso, no? Sempre meno della Tour Eiffel. Va bene lo stesso...

Eh no! Va ben un corno! Perché una diga non è mica solo quel che c'è davanti. Non è mica solo il muro! Una diga è anche quel che ci sta dietro.

Dietro alla diga alta 200 metri che cosa c'era?

Con 200 metri di altezza del muro era previsto un serbatoio di 58 milioni di metri cubi d'acqua. Giusto?

Ma con un muro alto 261,6 metri il serbatoio d'acqua che ci sta dietro viene di 150 milioni di metri cubi d'acqua.

Due volte e mezza la somma di tutti gli altri serbatoi delle Dolomiti messi insieme!

Però bisogna essere onesti. In Italia ci sono serbatoi grandi anche quattro volte quello lì, ce ne sono fino a 600 milioni di metri cubi d'acqua. In Italia, i più grandi in assoluto sono in fondo all'Appennino, in Basilicata, e poi in Sardegna.

Di solito non sono serbatoi idroelettrici, sono serbatoi dell'acqua potabile, per gli acquedotti.

Un attimo... Per quel che ne so io, le valli appenniniche e le valli delle isole sono completamente diverse dalle valli alpine. Tendenzialmente le valli degli Appennini hanno sponde basse e fondo largo. Tutto il contrario delle valli alpine, che di solito hanno fondo stretto e sponde altissime. E diciamo pure un'altra cosa: in tutto l'arco alpino italiano esiste a tutt'oggi un solo serbatoio più grande del Vajont: è in Trentino, a Santa Giustina. Solo che la diga di Santa Giustina è alta 100 metri in meno di quella del Vajont. Vale a dire che lì almeno la valle era un po' più larga...

Morale: nessuno al mondo aveva mai osato immaginare, figuriamoci costruire, una diga di quel tipo.

La diga del Vajont è una diga a doppio arco, dicono i tecnici. E ancora oggi è la più alta del mondo della sua categoria. 266 metri. Non ne esiste un'altra più alta.

E chi è il progettista di questa meraviglia del mondo moderno? Quello del sidecar: Carlo Semenza.

Lo ricordate? Nel 1929 era un giovane ingegnere che lavorava per la SADE Ma nel '57 è diventato direttore della divisione servizi idraulici. Ha costruito dighe in mezzo mondo. Quelle del Piave le ha fatte tutte lui e questa è la sua ultima, prima di andare in pensione. Ma per costruirla non basta l'ingegnere, serve il geologo.

12. Il primo dei geologi del Vajont

E chi è il geologo del Vajont?

Giorgio Dal Piaz, l'altro del sidecar. Anche lui nel '29 era un funzionario del Magistrato delle Acque di Venezia. Adesso, nel 1957, Dal Piaz è titolare della cattedra di geologia dell'Università di Padova. È un barone stimato! Generazioni di geologi italiani si sono formati sui testi di Giorgio Dal Piaz. Ancor oggi è considerato un luminare negli ambienti accademici.

Però nel '57 il professor Dal Piaz era già pensione e la sua pensione... insomma, dice che non bastava... Doveva fare qualche extra, qualche consulenza per amici e conoscenti. Vuoi che dicesse di no al suo vecchio amico ingegner Semenza?

L'ingegnere sottopone al geologo la variante del progetto della diga e il geologo risponde:

Le confesso che i nuovi problemi prospettati mi fanno tremare le vene e i polsi!

Come faccio a dire una cosa così?

Questa è una cosa importante, perdio!

Ma ogni tanto ti chiedi chi mi mette in bocca queste parole? Come diavolo faccio a far dire queste cose delle persone?

Se non te lo chiedi è male. In ogni caso te lo dico io, prima che ti insospettisca troppo... Devo raccontare questa storia lunghissima e complicata, piena di avventure umane ma anche di dati tecnici, numeri e cifre... Mi spiace, ma ogni tanto, per tenerti sveglio, invento. La nonna con lo schioppo l'ho inventata. E anche il sidecar. Però quando faccio parlare gli imputati non invento niente. Perché sul Vajont c'è stato un processo. Su tante storie della nostra Repubblica dobbiamo invocare i misteri dolorosi per capire qualcosa, ma sul Vajont sappiamo, perché c'è stato un processo. Otto quintali di atti processuali pubblicati.

Sul resto, per tenerti sveglio, ogni tanto ci metto un po' di teatro, ma sugli atti del processo no. Caso mai questi atti un po' di teatro ce l'hanno già dentro per conto loro, ma questo è un altro discorso.

La risposta di Dal Piaz a Semenza a proposito della prima variante risulta dagli atti del processo. Il geologo infatti ha scritto all'ingegner Semenza:

Ho tentato di stendere la dichiarazione per l'alto Vajont, ma Le confesso sinceramente che non m'è riuscita bene e non mi soddisfa. Abbia la cortesia di mandarmi il testo di quella ch'Ella mi ha esposto a voce, che mi pareva molto felice.

E l'ingegnere manda la relazione geologica al geologo. Che la firma!

E quello che conta per il Ministero è la firma del geologo.

A questo punto non si può non riconoscere alla SADE un

48

buon senso dell'umorismo: il timbro sulla variante della diga porta la data 1° aprile 1957. Pesce d'aprile.

Ma al Ministero ci cascano, e il 15 giugno il progetto è approvato: potete cominciare a ingrandire la diga.

«Abbiamo già fatto, grazie.»

Confidavano nell'esito positivo dello scherzo.

Il Ministero però gli chiede per piacere una perizia supplementare: «Mi avete mandato una perizia geologica solo sulle sponde dove appoggia la diga. Vi dispiace mandarne una anche sui fianchi della valle?».

«Sì, sì, faremo, faremo», risponde la SADE.

E intanto?

Intanto però ci vuole un altro giro di espropri. Sì, perché con 66 metri di altezza in più, molti altri terreni vanno sott'acqua... Sentite qua: il fondo della valle dove si costruisce la diga è fatto a V, il vertice inferiore è strettissimo, i terreni sulle due sponde sono ripidi... Però man mano che si viene su la valle si allarga. Alzare il muro di 66 metri vuol dire far diventare il lago dietro alla diga enorme! È come riempire il lavandino per farti la barba. Se metti pochi centimetri d'acqua non ne avrai più di un litro o due, ma il lavandino, man mano che vien su, si allarga, e allora vedi che la superficie di bordo che bagna cresce esponenzialmente... Hai presente?

400 espropri in due anni. Su 2000 abitanti, vuol dire una famiglia sì e una sì. Qualcuno perde la casa, qualcuno perde la terra, qualcosa perdono tutti.

Gli espropri dei terreni che dovranno essere allagati si fanno con un po' di pazienza. In fondo prima di cominciare a riempire il lago bisogna finire la diga. Però i terreni e le case che si trovano sulla circonvallazione devono essere liberati con urgenza. Perché la SADE insieme alla variante ha messo in cantiere una bella circonvallazione asfaltata che costeggerà il lago nella sua nuova estensione.

E vogliono cominciare a costruirla subito!

13. Lavori temporanei per ragioni di pubblica utilità

A dire la verità non hanno ancora avuto l'autorizzazione a costruire la strada di circonvallazione, ma si portano un po' avanti come fanno di solito: loro, intanto cominciano a costruire e poi vedrai che l'autorizzazione arriva. Non è neanche un abuso, perché in quegli anni era in vigore una legge che permetteva l'occupazione temporanea di tutti i terreni necessari all'esercizio dell'attività del cantiere.

La circonvallazione serve al cantiere? Sì.

E allora loro, per pubblica utilità possono, temporaneamente... segare il bosco, spianare il pascolo, tirar giù le case, scavare gallerie, far scoppiare le mine e asfaltare la strada.

«Temporaneamente.»

Al Genio Civile di Belluno c'è un ingegnere che si chiama Desidera. A lui 'sto temporaneamente lì gli torna mica tanto... L'ingegner Desidera, in attesa di documentazioni dettagliate, cautelativamente fa chiudere quel cantiere alla SADE.

In meno di ventiquattr'ore, per espresso interessamento del ministro dei Lavori Pubblici, l'ingegner Desidera vien sollevato dal suo incarico e trasferito ad altra sede lontano dalla SADE.

Il ministro dei Lavori Pubblici in quel momento ha il nome di un circo: Togni.

I nomi non sono simboli arbitrari. Il successore dell'ingegner Desidera al Genio di Belluno si chiama Violin, e naturalmente si guarderà bene dal fare stecche che possano disturbare il lavoro della SADE.

In valle fioccano in un'unica bestemmia Dio, l'esproprio e la SADE senza soluzione di continuità.

«Possibile», fa la gente, «qua costruiscono la diga più alta del mondo e nessuno viene a controllare!»

Contadini ignoranti! Qualcuno che controlla c'è, un po' più in basso, dalle parti di Roma...

14. L'allegra Commissione di collaudo

È lui che si interessa alla questione Vajont, il ministro dei Lavori Pubblici in persona, che nel 1958 nomina l'allegra Commissione di collaudo.

Va bene, l'aggettivo l'ho messo io... Però Togni ha fatto le nomine. Ne fanno parte ingegneri del Genio Civile e del Servizio Dighe, poi c'è il presidente della Commissione Lavori Pubblici, quella che ha approvato il progetto «Grande Vajont»: il suo presidente si autonomina anche membro della Commissione di collaudo. Infine c'è un geologo.

Degli ingegneri non parlo, hanno solo fatto parte della Commissione che ha approvato la variante del '57... come dire che son parte in causa...

Ma il geologo è la ciliegina sulla torta e di lui bisogna proprio dire qualcosa, anche perché più avanti lo incontreremo spesso. Si chiama Penta, come una macchina fotografica giapponese, tanto per ricordarlo meglio. È così bravo questo geologo, che da anni la SADE lo chiama per qualche lavoretto. Praticamente è un consulente fisso della società. Chi meglio di lui conosce i lavori che è chiamato a controllare? Penta conosce benissimo il Vajont e anche la SADE, dal momento che figura sul suo libro paga.

Ora: io ho messo l'aggettivo allegra davanti alla Commissione, ma è stato il ministro a mettere il timbro sulla nomina.

E quale data reca il timbro?

1° aprile 1958.

Davvero, non sto scherzando... Sin dall'inizio pare che le abbia messe un greco antico le date su questa storia.

La Commissione viene nominata, ma non parte per il Vajont. Prima devono mettersi d'accordo... «Andemo con la macchina tua...» «No, con la mia no!» «Poi sai quando mi arriva il rimborso.» «Allora andiamo in aereo...» «No, no, io c'ho il mal d'aria...»

Eh, ci vuol tempo a mettersi d'accordo.

E intanto la diga cresce, nessuno la vede e nessuno la ferma.

Nel 1958 non succede nient'altro.

Solo la diga che cresce, se vi par poco... Per me basta a riempire il capitolo.

15. *Nel vicino impianto di Pontesei va giù in acqua una frana*

Passo al '59 e ti regalo tre mesi.

Andiamo direttamente alla domenica delle Palme, che nel 1959 casca il 22 di marzo.

Adesso non vorrei che ti offendessi se mi premuro di ricordarti una cosetta. È solo che non so come sei messo con la dottrina: volevo solo ricordarti che la domenica delle Palme viene prima di Pasqua. È la domenica prima di Pasqua, tutti gli anni...

Ma perché ci serve saperlo? Perché secondo me la domenica delle Palme, lassù, è l'ultima occasione di far le prove per la processione del venerdì santo... Te la ricordi? Quella di Erto che ti ho detto all'inizio, coi figuranti e l'Iscariota dimenticato...

Quel giorno lì: via! Fuori dai bauli i costumi da antico romano... «Eh, ma spussa de naftalina...» «A mi el gonnellin da centurione me se curto...» «Varda qua: le armature hanno preso la ruggine, vien il tetano solo a guardarle...» «Don, Don: come se fa a farghe sbater le ali ai cherubini?» «'Arda che se te voli far el Cristo te te devi spogliar nudo.» «Ma mi go fredo.» Rinfrescare, controllare, riallestire tutto quello che era stato messo via, mica tanto diligentemente, l'anno prima, e via con le prove per la passione del venerdì successivo...

Quella stessa domenica delle Palme, 22 marzo 1959, in un'altra valle molto vicina a quella del Vajont, anche lì si fanno prove. Prove di emergenza che riguardano uno dei sette serbatoi che la SADE ha già costruito e che si chiamavano Mammolo, Brontolo, Pisolo, Eolo, Cucciolo...

Lo so. Lo so benissimo che non si chiamano così, però i sette serbatoi sono dei nani rispetto a quello che stanno costruendo sul Vajont!

Vuoi che ti dica i nomi di tutti? Poi come fai a ricordarteli?

Non so se serve. Ma comunque... Il serbatoio dove si fanno prove di emergenza si trova in Val Zoldana, la valle di papa Luciani. Il lago si chiama Lago di Pontesei, come la località.

Siamo a sei chilometri da Longarone e questo lago era di 10 milioni di metri cubi... Un nano rispetto a quello che stanno costruendo sul Vajont. Un nano sì, ma funzionante.

Solo che da un po' di tempo non funzionava più tanto bene.

E cosa aveva?

Batteva in testa.

I serbatoi idroelettrici devono cantare come motorini. Invece questo faceva rumori sordi dentro alla montagna. E quando accade, non è bello viverci vicino. Specie poi se dentro al lago si cominciano a vedere macchie di acqua giallastra, bolle localizzate sempre negli stessi punti, con piccoli accenni di franamento sulla sponda. Brutti segni.

Sai cosa vogliono dire?

Vogliono dire che il fianco è infiltrato, che una sponda del serbatoio sta cedendo.

La SADE allora cosa fa?

Comincia a togliere l'acqua... Via! Liberare l'invaso, in maniera che quando casca la frana, perché quando è così la frana prima o poi è sicuro che casca... quando casca la frana non trova il lago pieno e fa meno danni. Come cominciano a svuotare il lago, la frana accelera di colpo. Per forza: perché ormai, se i fianchi della valle sono pieni d'acqua come una spugna, ormai è l'acqua che li regge. E se gliela togli... Allora diventa una gara a cercare di cavar l'acqua prima che caschi la frana... E, si presume a causa di questo, istituiscono anche un servizio di sorveglianza fisso intorno al lago. Un uomo.

Uno solo?

Va bene sorvegliare, ma anche sparagnare si deve. Non si può spendere tutto in sorveglianza! E poi, a che servono più persone? Il sorvegliante deve solo dare l'allarme...

La mattina del 22 marzo, domenica delle Palme, è di turno l'operaio Arcangelo Tiziani. Zoppo, purtroppo.

«Mi raccomando Arcangelo. Se succede qualcosa, dare subito l'allarme.»

«Sì, sì.»

Eh, sì. Arcangelo l'allarme lo dà. Quando vede qualche decina di metri di montagna che tremano, e poi quando li vede scivolar giù, corre... Corre come può, a telefonare, e l'allarme lo dà, diobono... Però non fa in tempo, lui, a scappare.

La frana a Pontesei accelera di colpo. Piomba compatta nel lago. Solleva un'onda di 20 metri d'acqua che mangia l'operaio, lo tira in fondo al lago.

Non lo ritroveranno mai più.

Arcangelo Tiziani è volato su, con gli anzoletti.

16. *Il valore dei nomi: i cimbri*

Possiamo anche immaginare che a Erto stessero a provare la processione del venerdì santo... Ma da Pontesei a Erto ci sono meno di dieci chilometri, è un soffio:

«Hai sentito?» «Lastu vedù quel che l'è succedù a Pontesei?» «Cos succederà quando che metterà l'acqua qua da noialtri?» «Con la diga grande l'acqua arriverà fin sotto ai paesi...» «I nostri paesi non sono stati costruiti su un terreno solido, ma sopra delle antiche frane, sopra dei ghiaioni...»

Ma chi è che va a fare i paesi sopra i ghiaioni?
I cimbri.

Cimbri: antica popolazione germanica... Dopo l'invasione della Gallia penetrarono in Italia... Mario li vinse ai Campi Raudii nel 101 avanti Cristo.

Io questi cimbri me li immagino come quelli di Asterix... Nel II secolo avanti Cristo hanno invaso l'Italia perché volevano andare ad abitare a Vercelli.

Io capisco tutto, ma questo no.

C'è stata la famosa battaglia dei Campi Raudii, presso Vercelli, in cui Caio Mario, proconsole, è venuto su fin da Roma per dare una saccagnata ai cimbri che venivano dalla Sassonia, ma avevano fatto il giro largo, turistico, passando dai paesi baschi. Poi, invece di tornare indietro per la stessa strada, dopo la batosta hanno preso la scorciatoia per la pianura padana.

Quando i romani li vedono sulla pianura padana cominciano a corrergli dietro a legioni squadrate. I cimbri in fuga, disperati che spiegano: «Ma stiamo andando a casa!».

Ma i romani sono sempre stati diffidenti. E continuano a corrergli dietro. I cimbri, senza tregua, fan tutta la pianura padana. Arrivano in fondo e...

«Ma come? Non c'è neanche Venezia da vedere?» «Venessia non la ghe se ancora nel 101 avanti Cristo, ignorante!» «Alora cossa femo?» «Andiamo a casa!»

Imboccano la prima valle per scampare dall'Italia: è la Val del Piave, bella larga.

I romani sempre dietro a legioni squadrate. I cimbri in fuga non ne possono più.

Dopo sei chilometri, in su per la Val del Piave, i cimbri a destra vedono 'sta gola stretta del Vajont: «Cossa femo?». «Svoltemo...» Lì i cimbri, pin pianello, svoltano... e i romani via dritti!

E i cimbri: «Forse se stiamo buoni e zitti e non ci muoviamo, siamo salvi».

E cominciano a costruire i muri delle case senza più spostare i piedi da quel sasso.

È vero! Vai a vedere il paese se non ci credi, per piacere! In montagna si costruisce così: i muri portanti della casa a valle sono le fondamenta della casa a monte! Puoi contare le finestre di tutto il paese... Se tiri via due pietre dalla casa più bassa, vien giù tutto il paese! Erto e Casso sono aggrappati a una costa aspra di montagna, dura. Terreno da cave, altro che da pascolo. Qualche nocciola, qualche pino e basta.

Dall'altra parte della valle, invece, è un giardino dell'Eden: boschi, pascolo verdissimo, alberi da frutto. Sai quei pomi di montagna, piccoli, succosi, rossi che quando li mordi fanno quel «stacc!»... che è l'antifurto. Eh sì, perché appena sentono quel «stacc», subito escono i cimbri coi forconi: son lì, nascosti di guardia da secoli... Se proprio vuoi prendere il pomo di montagna, coglilo intero, portalo in macchina, chiudi bene la portiera, metti in moto, attacca lo stereo a tutto volume, mettiti il maglione intorno alla testa e allora, solo allora, mordi, che il cimbro ha l'udito acuto. Sono secoli che se lo allena nel silenzio della valle. E sono secoli che il cimbro vive nella parte in ombra e semina su quella al sole, perché là ci vien di tutto: patate, fagioli buoni, l'uva!

Ecco cosa mi dimenticavo: l'uva! Un anno su tre arrivano perfino a fare il vino. E guarda che a quell'altezza lì è un record... Anche se poi berlo è tutto un altro discorso. Te ne accorgi quando te lo offrono. Fin che lo versano nel gotto, tutto regolare: tu avvicini la mano al bicchiere e senti sguardi che si abbassano, silenzio che scende, tu rallenti il movimento di portare il vino alla bocca, ma prima o poi ci arrivi, sempre nel silenzio. E proprio mentre stai per portare alle labbra il primo sorso, l'amico che te lo offre, e che ti guarda già da un po' come se non credesse che tu berrai veramente, ti fa: «El g'ha un che...».

E tu hai già capito tutto, anche la formula con cui concluderà la frase, che è sempre la stessa: «Ma l'è vin de uva!».

Che è, ragionevolmente, l'unica cosa che puoi dire di quel che hai nel bicchiere. E anche l'ultima. Perché appena hai bevuto... legno, gengive di legno, lingua di legno, esofago di legno, stomaco, budelle, intestino... finché non ti vengono fuori radici, non dico da dove.

Nel bicchiere rimane, testimone del tuo gesto, un segno come d'inchiostro, però più denso. E tu pensi: e dentro lo stomaco?

Il vino lassù è un'esperienza mistica.

Comunque sia, almeno da quella parte della valle vien quella roba lì, ma viene. Dalla parte dei paesi: niente!

Allora vien da domandare a 'sti cimbri: «Ma cosa vi è saltato in mente di fare il paese di qua, invece di farlo di là?».

E i cimbri: «Meglio sotto il monte Salta che sotto il monte Toc».

La parete che si alza al sole dal torrente Vajont si chiama infatti monte Salta. La parete di fronte, quella all'ombra, monte Toc.

«Toc» in tutto il Veneto vuol dire *pezzo*.

I nomi non sono simboli arbitrari, l'ho detto. Vale per le persone, vale per le cose.

Chissà se l'ingegner Semenza e il geologo Dal Piaz quando hanno scelto la valle per fare la diga hanno consultato i cimbri... Chissà se oggi i manuali di geologia riescono a comprendere cenni di antropologia, briciole di etimologia, o continuano a perdersi in calcoli e trivellazioni... «Toc» in veneto vuol dire «pezzo», ma in Friuli «patòc» vuol dir «marcio». I cimbri sanno che stanno costruendo una diga tra il monte *che salta* e il monte *pezzo marcio*, addosso a un torrente che si chiama Vajont. Sai cosa vuol dire in ladino «Vajont»? Vuol dire «va giù!».

Superstizioni, tabù, pregiudizi etnico-culturali... Ma ti pare che la scienza moderna può considerare 'ste sciocchezze?

Invece quelli del paese han paura. Sono cimbri, si ricordano quelle armate romane, tanto più numerose di loro, tanto più squadrate, come i massi che gli cadevano addosso. Ce l'hanno nel DNA. Hanno paura sul serio, adesso. Hanno paura che una mattina, svegliandosi, il paese, invece di trovarsi sulla sponda del lago, si trovi giù, in fondo al lago.

17. Laghi naturali e serbatoi artificiali. Maree in montagna

Ma perché dico lago?

Si rischia di cadere in un equivoco... È un abbaglio linguistico. Infatti gli ingegneri mica li chiamano «laghi», li chiamano «serbatoi». Così è più chiaro. E se vuoi un'altra parola, chiamali «cisterne» o «silos». Però stai attento: ognuno vorrebbe un lago sul suo giardino, un bel laghetto con papere e cigni da portarci la fidanzata in barchetta... Ma chi, nel suo giardino, vorrebbe un serbatoio a uso terzi?

Non voglio demonizzare. Nel paesaggio in fondo son laghi, ma vorrei semplicemente spiegare la differenza.

Un lago ci impiega migliaia di anni a farsi il letto su un fondovalle. E poi ci vuole ancora tempo perché acqua e roccia trovino l'accordo, e lo stesso con la vegetazione. Ci vuole tempo perché il lago riesca ad appoggiare il culo nella valle. Non hanno fretta organismi unicellulari e muffe e licheni che forse, prima o poi, riescono a decidersi per la convivenza. Ci vuole calma... e tempo infinito...

Un serbatoio artificiale va su in cinque, dieci anni al massimo. E non sta mai fermo: è fatto per quello, per far entrare e far uscire acqua. E l'acqua entra e poi esce, come le maree. Sale e scende, sale e scende. E sui fianchi delle montagne che salgono su per la valle sono spinte e controspinte. Forze inimmaginabili che spingono quando l'acqua sale e poi mollano con l'acqua che scende. Maree in una valle di montagna.

La diga che si costruisce deve contenere queste maree. Per questo è un muro di calcestruzzo: cemento, calce idraulica, roccia, pietrisco e poi armato di ferro... Un muro spesso diversi metri: per contenere la spinta delle maree, più spessa in basso e più sottile in alto, perché la spinta dipende anche dall'altezza della colonna d'acqua che ci sta sopra. Però se l'acqua spinge sul muro di calcestruzzo armato, spingerà nello stesso modo, uniformemente, anche sulle pareti delle montagne tutto intorno.

Ma chi l'ha detto che i fianchi delle montagne sono robusti come il calcestruzzo armato?

E poi la diga è impermeabile, è tutta bitumata, è fatta apposta per respingere l'acqua, non per berla... La spinta di una massa liquida è uguale in tutte le direzioni. Tu puoi fare, davanti, il muro di calcestruzzo più robusto del mondo, ma se le pareti della valle, intorno e di dietro, non hanno lo stesso tipo di resistenza e tenuta all'acqua... Dove trova un punto debole, l'acqua si infiltra e la terra sì che beve... Beve, beve... C'è della terra che è etilista cronica, sai!... Guarda a Pontesei: la terra si è bevuta l'acqua del serbatoio e poi si è bevuta anche l'Arcangelo Tiziani... «Ah! Ma è quello zoppo...» «Sì, era lui, la guardia della diga...» «Poareto...»

Non sono tutte uguali le terre e le vallate. Ma queste sono vicine. A Pontesei c'era un serbatoio di 10 milioni di metri cubi d'acqua, e ha fatto cascare un pezzo di montagna con anche un morto. E qua vogliono fare un serbatoio di 150 milioni di metri cubi d'acqua.

Quel che non aveva fatto il Comitato in due anni lo fa la paura in un paio di settimane.

18. La SADE spadroneggia ma i montanari si difendono

Il 3 maggio 1959, 126 capifamiglia si riuniscono nella baracca del CRAL appena fuori dal paese con mogli, madri, padri e bambini. I parroci in chiesa han detto che «difendersi dai soprusi della SADE non è peccato... E neanche un reato».

«Giusto!»

«Sta' calma, nonna...»

«Vojo vegnere anca mi al Comitato!»

«Basta che te lassi casa el scioppo!»

Festa campestre, costicine e polenta. Sindaci dai paesi limitrofi. Il notaio. I giornalisti, due: la Tina Merlin... Quella non manca mai... «varda, varda, ghe se anche quel del "Gazzettin"...». Il giornalista del «Gazzettino» viene, mangia la polenta – «Bona!» – mangia le costicine – «Bonissime!!!» – e non scrive niente.

Il «Gazzettino» sul Vajont non scrive mai niente. Dal 1956, quando iniziano i lavori di costruzione della diga, al 1963, nei sette anni che dura questa storia, sul «Gazzettino» usciranno soltanto i comunicati stampa della SADE.

Come mai? Il giornale non era più di proprietà del conte Volpi di Misurata. Ma se il padrone cambia, dalle nostre parti si continua a tributare rispetto anche agli antichi padroni. I padroni son padroni e si sommano, si stratificano come scisti rocciosi, come pietra sedimentaria che insiste sul capo di chi Signore non è... E ai signori in quel tempo non piaceva comparire sui giornali. «Andar sul giornale? Meno che si può...» «Niente nomi sul giornale, per piacere.» Sarebbe una mancanza di rispetto. E pensare che adesso il giorno che non hanno la foto in prima pagina gli viene la crisi d'astinenza! E vogliono farti sapere tutto: come passano il tempo libero, se preferiscono il mare o la montagna, che numero portano di scarpe... Dei signori di trenta o quarant'anni fa, niente. Non riuscivi a sapere neanche il nome. Rispetto!

Ma questi Signori Nessuno avevano poteri immensi. Figurati come si impressionavano davanti alla Tina Merlin... «Chi? Tina Merlin? Quella che scrive sul giornale dei malcontenti? Lassala perder...»

Dopo la riunione del 3 maggio, Tina scrive un articolo per «l'Unità». Titolo: «*La SADE spadroneggia ma i montanari si difendono*».

«Signor conte, cosa femo?»
«Adesso però esagera: denunciamola!»

Il conte che denuncia la Tina Merlin non è più Giuseppe Volpi conte di Misurata. Lui, a questo punto della storia, è già morto da qualche anno. Ma comunque è sempre un conte: il conte di Monselice. Non so... Forse la SADE era una società che per statuto se la passavano di conte in conte... O magari, chissà, era sempre lo stesso che cambiava nome... O forse era quello della canzone che mi cantavano da piccolo:

Conte, conte,
con le braghe onte,
col capel de paja,
conte canaja!

Sarà mica stato questo qua, quello della SADE?

No, no, altro che «braghe onte», il signor conte di Monselice che adesso guida la SADE di nome fa Vittorio e di cognome Cini.

Vittorio Cini.

Prova a dire «Cini» a Venezia! Poi alza il piede dalla piastrella di marmo dove stai e leggi: «Questa l'ha donata Cini a Venezia».

È un nome che conta! La Fondazione Cini. L'isola di San Giorgio. Metà delle scuole private e pubbliche della città sono state costruite col contributo di questa famiglia. E il porto? E la Marittima? E Marghera? E la Mostra del cinema di Venezia? E i grandi alberghi? Cini, Cini, Cini...

Il conte Cini è presidente della SADE quando Tina Merlin viene denunciata. Chissà se è lui in persona a volere la denuncia, o chissà se lui, magari, non sapeva neanche che esisteva la Tina o tutta la faccenda del Vajont... Son così i signori, son eleganti, superiori... Fatto sta che i Carabinieri di Erto, meno eleganti, la denunciano, *«per aver pubblicato notizie false e tendenziose atte a turbare l'ordine pubblico...».*

A proposito: cosa erano andati a fare, il 3 maggio 1956, i capifamiglia di Erto-Casso nella baracca del CRAL mentre fuori le mogli preparavano polenta e costicine?

Costituivano il «Consorzio per la rinascita della Valle Ertana».

«E chi se ne frega.»

Questa è la reazione dell'opinione pubblica alla notizia. Frega niente a nessuno.

19. La SADE non mantiene le promesse

Ma è ovvio, no? Appena uno fa un Comitato, perché dovrebbe importare qualcosa a qualcun altro? I comitati non sono lieti eventi. Si fa una fatica boia a capire le ragioni dei comitati propri, figurati quelle dei comitati altrui... Per carità!

E questi qua fanno addirittura un Consorzio con il notaio e tutto quanto...

«Ma a cosa serve 'sto Comitato?»

«Per difendere la terra e la valle.»

«Ma se la terra l'avete già persa!»

«Difendiamo la valle.»

«Da chi?»

«Dalla SADE.»

Be'... Su questo però non hanno torto.

I lavori per la diga vanno avanti senza impedimenti. I valligiani se la vedono crescere sotto il naso di giorno in giorno. Però la SADE ai quattro soldi che gli aveva dato per i terreni aveva anche aggiunto qualche promessa. Si era impegnata a dargli anche... be', insomma, un po' di benessere no?

Per esempio un ponte.

Ecco: il ponte era stato fondamentale nell'accordo.

Se i paesi stanno da una parte della valle e i terreni fertili stanno sull'altro versante, un ponte ci vuole, no?

Adesso sono tanti i contadini che partono la mattina, camminano una mezz'ora per andare sui campi. Quelli che ce l'hanno più in basso, più vicino ai paesi, a mezzogiorno tornano perfino a casa a mangiare... Fanno su e giù due volte al giorno...

Ma se adesso a dividere le abitazioni dal giardino dell'Eden ci viene un lago, come si fa? Ci vorrà un ponte, no? Per andare a lavorare... Son più di sessanta le famiglie che hanno i campi sulla costa al sole. Eh, ma c'era scritto sul contratto con la SADE. Ci avevano pensato eccome, i montanari: una passerella pedonale l'avevano fatta mettere in preventivo.

Già, ma il preventivo valeva prima della variante. Quando la diga doveva essere alta 200 metri. Adesso che la diga è 60 metri più alta, quella passerella la SADE non la vuole più costruire.

Perché si è innalzato di molto anche il livello dell'acqua. Al posto della passerella pedonale sopra il lago, hanno già cominciato da un pezzo a costruire la strada di circonvallazione del lago che è lunga 12 chilometri. E sarà anche asfaltata.

Sì, però c'è ancora un problema: anche la scuola è sulla costa al sole della valle. Pareva più bello far crescere i bambini di là, no?

E adesso?

Toccherà circumnavigare tutte le mattine il lago per mandare i bambini a scuola? Ma ci vorranno due ore, più quattro a scuola e due a tornare, fa otto ore. Se otto ore vi sembran poche... «L'è come lavorar in fabbrica...» «E senza neanche le marchette!» «No, no, SADE. Noialtri preferiamo la passerella pedonale...»

«No.»

«Come no?»

«No.»

«SADE, per piacere: perché non volete fare la passerella pedonale?»

«Perché non si può!»

«Parché no se pol?»

«Perché no.»

«Come perché no? El "Consorzio per la rinascita della valle ertana" pretende da saver parché no se pol far la passerella pedonal!»

«Perché il terreno non lo consente!»

«Ma se fate una diga di 150 milioni di metri cubi di acqua! Come sarebbe a dire che lo stesso terreno non consente una passerella pedonale?»

20. La perizia geotecnica di Leopold Müller

Quello che alla gente di Erto non si sa come spiegare, è che durante i lavori per la strada di circonvallazione sono state trovate delle fessure che non dovevano esserci.

Sono spaccature lungo il versante di fronte ai paesi, quello al sole. Fenditure anche piuttosto vistose.

«Cos'è 'sta roba?»

«Boh! Copri. Avanti col lavoro.»

«Ingegnere, un'altra crepa.»

«Copri. Avanti col lavoro.»

«Ingegnere, altre tre!»

«Ma va a remengo... Portami la perizia geologica sulle sponde.»

«Che perizia?»

«Oddio, la perizia sulle sponde della valle, andiamo!»

«Ingegnere, quella non l'abbiamo mica fatta.»

«Figuriamoci! Come "Non l'abbiamo fatta"?»

«C'è la perizia sui costoni dove poggia la diga, ma quella sulle sponde del serbatoio, no.»

«Ma il Ministero l'aveva chiesta più di un anno fa...»

«E noi abbiamo detto: "Faremo, faremo...". Ma non l'abbiamo ancora fatta.»

«Qua serve il geologo. Chiama Dal Piaz!»

Eh, Dal Piaz... Dal Piaz non ha più il fisico... Non che sia ingrassato, ma è diventato vecchio. A questo punto della storia Giorgio Dal Piaz ha più di ottant'anni: vi pare che possa rimettersi a far rilievi come un giovanotto di primo pelo, come un capretto su e giù per le montagne? No, no.

E poi col dopoguerra la tecnica geologica è cambiata.

Prima un bravo geologo era un padreterno se a colpo d'occhio riconosceva la presenza di rocce che gli altri non avevano notato, la geologia era fondata sull'osservazione della superficie e sulla capacità di deduzione sulla natura dei terreni. Col dopoguerra non si fidano più della superficie, applicano l'ingegneria alla geologia, nascono la geomeccanica, la geofisica, fanno i carotaggi, i fori piezometrici, le analisi stratimetriche. Le dighe sono un settore di punta e l'ingegner Semenza è uno che si tiene al passo. Se occorre una consulenza internazionale, la si chiede. In Austria c'è un geologo di fama mondiale, e Semenza lo porta alla SADE.

«Chi?»

«Uno bravo.»

«Chi?»

«Müller.»

«Un tedesco?»

«No, un austriaco.»

«Peggio ancora...»

Veneziani e austriaci mai andà tanto d'accordo...

«Ma è bravo.»

«Ma è austriaco.»

«Ma è bravo!»

La presenza di Müller non piace a Dal Piaz.

Giorgio Dal Piaz è da anni una delle massime autorità in campo geologico. Ha praticamente fondato l'istituto di geologia dell'Università di Padova, dove ha insegnato tutta la vita, e la rivista «Memorie di Scienze Geologiche» che esiste ancor oggi.

Ma se Semenza dice Müller dev'essere Müller.

Leopold Müller, bravissimo, scuola geologica di Salisburgo. L'ha fondata lui... Un caposcuola, intendo. Viene assunto in qualità di consulente geotecnico della SADE.

Comincia l'analisi del terreno. Son precisi gli austriaci.

Progetto dettagliato dei punti in cui operare attraverso carotaggio. Segna sulla carta dove deve fare i carotaggi, poi va sul monte e pianta preciso. Perforazione e analisi. Analisi e perforazione. Preciso, in linea, lui fa tutto il monte Toc. Finito il monte Toc, perforazioni e analisi dall'altra parte, sul fianco del monte Salta. Preciso, l'austriaco. Dove il progetto indica, pianta la carota. Un momento, un momento: non penserai mica che la carota è quella che si mangia per abbronzare meglio? No, non è la carota di Bugs Bunny! Per i geologi la carota, anzi la carotatrice, è uno strumento di forma cilindrica, cavo e rotante, che si fa penetrare nel terreno per estrarne sezioni che poi si analizzano.

La campagna di perforazioni proposta da Müller non fu fatta da lui personalmente, ma mi piace immaginarlo al lavoro mentre prende su carote di terreno in tutta la valle. Solo che dalla parte del monte Salta ci sono i centri abitati... Ma lui è preciso, scrupoloso, e se il progetto prevede una perforazione nell'orto di un contadino ertano, scrupoli non se ne fa proprio: pianta la carota dove dice il progetto. Austriaco! Perforazione-analisi-perforazione-analisi. Lui se ne frega, dove deve piantare, pianta. Perforazione-analisi. Entra nel centro abitato. Perforazione... Trova un orto, carotaggia l'orto. E il contadino ertano:

«Cosa fa?»

«Carotaggi!»

«Col trapano?... Maria, vien veder, i 'striaci pianta carote sul nostro orto col trapano...»

«Ma che trapano! È la carotatrice...»

«A mi i me ga carotà el cortile...»

«E cosa g'hai trovà?»

«Roccia piroclastica.»

«Piro che?»

«Mi penso che è materia eruttiva intrusiva.»

«No, pozzolaniche.»

«Pozzolaniche? Metamorfiche, te vorà dir...»

Nelle osterie di Erto, dove argomento delle laconiche conversazioni erano il tempo, il raccolto, qualche volta, tra i più giovani, *el fubal* e, raramente, solo dopo molti bicchieri, *le femene...* in quelle osterie tetragone come i loro frequentatori divennero argomenti abituali di conversazione le tecniche di rilievo geostatico, la logorabilità, la porosità delle rocce sedimentarie e di quelle metamorfiche, i coefficienti di imbibizione, l'igroscopicità dei graniti e delle sieniti, dei gabbri e delle peridotiti... Ma soprattutto nelle osterie si disquisisce sui

65

caratteri di quel popolo confinante, «i 'striaci», neanche si fosse in un salotto milanese di cento e passa anni fa. «Si sapeva già che era un popolo strano, ma fin al punto di carotarci gli orti...»

E intanto vien l'estate.

21. Il Vajont è importante!

Estate del 1959.

Modugno ha spedito tutti gli italiani nel blu dipinto di blu, papa Giovanni ha annunciato la convocazione del Concilio Ecumenico Vaticano Secondo, Salvatore Quasimodo ha vinto il Premio Nobel e l'allegra Commissione di collaudo arriva sul Vajont.

Finalmente hanno trovato l'accordo: «Andiamo con la macchina mia, dividiamo le spese di benzina e autostrada...».

Nel 1959 il Leone d'Oro a Venezia lo vincono *Il generale Della Rovere* di Rossellini e, ex aequo, *La grande guerra* di Monicelli, però in Francia nasce la *nouvelle vague*. Il cantiere del Vajont adesso è anche un set cinematografico. L'ingegner Semenza voleva fare il film sulla costruzione della diga. Non ha fatto in tempo, ma la diga è in tutti i cinegiornali di quegli anni.

La Settimana Incom...

Appena un politico aveva bisogno di mettersi in mostra, eccolo là con la diga che gli cresce alle spalle. Ecco l'altro che mette monetine e papiri dentro a una qualche prima pietra. Ma l'inquadratura più richiesta è il taglio del nastro: tagliare nastri sulla diga del Vajont è l'occupazione preferita dell'onorevole alla fine degli anni Cinquanta. Ogni due metri inauguravano qualcosa. Finiti i nastri, tagliava corde, spaghi, catene... C'era la fila di papaveri che andava a tagliar qualcosa al Vajont. Era importante, il Vajont! Era l'Italia del dopoguerra, quella che costruiva la diga ad arco più alta del mondo. Ci portavano le classi in gita, gli intellettuali si entusiasmavano pubblicamente e lo scrivevano sui giornali. Era uno sforzo immane, tecnologicamente una sfida al proprio tempo, come se adesso ci si mettesse a costruire, che so, il ponte sullo stretto di Messina.

Lassù alla diga sono ben attrezzati. «Guarda, guarda lassù!» Una passerella tesa a 280 metri d'altezza. «Che impressione!»

Tenuta su coi cavi d'acciaio. Tutte le mattine, incurante del vento che la fa ondeggiare. «Oh, io mica ci andrei lassù...» Tutte le mattine, lassù, si vede camminare un punticino giallo in testa a una lineetta grigia: l'ingegner Semenza con l'elmetto Moplen e il trench da tenente Sheridan. La Montedison aveva appena inventato il Moplen, la SADE ce l'aveva già: all'avanguardia sempre e in tutto! L'ingegnere tutte le mattine è lassù che avanza sulla passerella per andare a controllare la gettata di calcestruzzo fresco dentro le casseforme che deve saldarsi con quello dei giorni precedenti. Tutte le mattine. La diga gli sta crescendo sotto i piedi. Bella, parabolica, aerodinamica. E tutte le mattine lui è lì a controllare che il getto nuovo si saldi bene sul calcestruzzo sotto, senza fessure, senza screpolature, senza imperfezioni.

22. L'allegra Commissione di collaudo in visita all'impianto

Arriva la Commissione di collaudo.
Li portano su in alto, sulla passerella.
La diga a doppio arco, su in alto, butta più in fuori che in basso.
La Commissione arriva su verso le nove e mezza di mattina e butta fuori tutta la colazione. Perché se non sei abituato, l'altezza ti stronca e l'oscillazione completa l'opera.
Allora: spostare i commissari, uno di peso che è paralizzato dalla paura, portarli sull'altro lato della diga che così stanno più tranquilli.
Perché?
Perché sul lato interno della diga, la pendenza appoggia al calcestruzzo. Però non è che anche da 'sta parte vada proprio tanto meglio... Magari riesci a non dar di stomaco, ma ti spalmi schiena al muro che non ti staccano più neanche col raschietto. Farà anche meno paura, però le impalcature seguono comunque la curva parabolica della diga... e la nausea cresce: non c'è niente di dritto su una diga a doppio arco. Gli operai, loro, non ci fan più caso, sono abituati a operare sull'obliquo. Però guardali quando smettono di lavorare, la sera: li trovi che camminano per strada a spina di pesce, qualcuno pendente a destra, tipo torre di Pisa, qualcuno in contropendenza, a seconda del lato che han lavorà... Puoi mica fargli al-

67

la Commissione quel trattamento lì. «Portali giù, dài, che sembran cenci appena inamidà...» «Gradisca un cordial, commissario.» «Madonna santa, mi gira tutto...» Caricali in macchina e via!

Per calmarli li portano a Cortina. Un'oretta sulla Lancia Flaminia della SADE ed eccola qua, la perla delle Dolomiti. Gran moda. Ancora nell'aria l'eco delle Olimpiadi invernali del '56... «Belli i maglioni delle Olimpiadi! Arancioni coi cinque cerchi...» «Un punch al mandarino, commissario?» «Grazie, grazie, un Punt e Mes, è quasi ora di cena...» Cena a Venezia. Terrazza dell'Hotel Europa... Spiedino di scampi, tramonto rosso antico... Aragosta e maionnaise, Canal Grande... «È un po' umido, non trova, ingegnere?» «Ma caro commissario, si metta il maglione di Cortina...»

La Commissione torna a Roma contentissima. Porta souvenir alle mogli, gondolette a intermittenza, il cappello di paglia da gondoliere per il bambino, racconta ai colleghi di Cortina, delle Olimpiadi, del Canal Grande e dell'aragosta in maionnaise... Di tutta la bella gita, di una cosa non si ricordano niente: della diga del Vajont.

Due giorni dopo l'allegra Commissione di collaudo scrive alla SADE se per piacere gli mandano un promemoria con i dati tecnici del Vajont, che li hanno persi.

La SADE glielo manda subito.

Il promemoria contiene dati precisi e circostanziati. Praticamente una relazione di collaudo sull'avanzamento lavori. Una relazione ben fatta, molto ben fatta.

Così ben fatta che la Commissione delibera di assumerla come propria relazione sullo stato di avanzamento dei lavori.

Osteria se è contenta la SADE!

Quella sera i dirigenti tornano a festeggiare da Cipriani. E vai coll'aragosta fresca, col Dom Pérignon d'annata, colla sardella in saòr... Sì, perché sulla base di quella relazione ottengono il primo assegno di finanziamento...

Non credevate mica che un'opera come la diga del Vajont, anche se edificata da una società privata, fosse finanziata dai privati? La Commissione di collaudo, più che dare pareri tecnici sull'esecuzione dei lavori, deve fornire scartafacci che giustifichino miliardi di finanziamento pubblico a fondo perduto alla SADE.

E questo ricordatelo, quando parleremo della nazionalizzazione delle aziende idroelettriche: cioè quando con l'acquisizione da parte dell'ENEL lo Stato pagherà alla SADE l'impianto del Vajont per la seconda volta.

23. La frana: perizie e controperizie. Geotecnici e geofisici

Non dura molto la gioia per il parere positivo della Commissione di collaudo.

Arriva l'austriaco a rovinar la festa. Müller presenta il primo rapporto.

Ha esaminato la costa del monte Salta. Da quella parte, nonostante le preoccupazioni della gente, non c'è pericolo. Il pericolo è dall'altra parte. Sotto il monte Toc ha individuato una frana con un fronte di due chilometri. Uno sviluppo di 600 metri in verticale, un andamento a emme: «Come Müller, ma non l'ho fatta io!». Si tratta di una grande frana profonda.

In realtà la M di Müller comparirà soltanto tra un anno e non sarà Müller a individuarla, ma intanto si comincia a parlare di una grande frana profonda del Toc!

...Una grande frana profonda...

Ma non è possibile... Cosa vuoi che ne sappia l'austriaco?... No, dico, chi è che ha scelto questa valle? Questa, questa, non un'altra: chi è che l'ha scelta, eh? Dal Piaz. Il professor Giorgio Dal Piaz ovviamente lo vede come il fumo negli occhi. Ma è possibile? Dal Piaz ha scelto questa valle e non si è accorto di niente... Adesso arriva l'austriaco e mi trova che qui dentro c'è una frana di quelle dimensioni apocalittiche?

Ci vuole un'altra perizia...

Altro che un'altra... Sai quanti ne vanno di consulenti geologici al Vajont? Tanti. Alcuni ufficiali e altri no. È questione di grande interesse, e poi l'ho detto: in quegli anni la diga è importante, il Vajont fa tendenza. In mezzo ai tanti geologi che dicono la loro, almeno uno va ricordato, perché al processo la sua posizione è piuttosto importante. Si chiama Pietro Caloi. Non è un geotecnico come gli altri: è un geofisico. Tra geotecnici e geofisici – apriti cielo! – non ci si saluta neanche. Il geofisico è un esperto di elasticità del terreno, di terremoti.

Lui va in giro col martello a battere il terreno per ascoltare il momento elastico della roccia: «tonnnnnnnn...». Microesplosioni!

Se il suono viaggia vuol dire che tutto va bene, vuol dire che la roccia è una e compatta. Se invece quando batti la roccia fa «toc» e basta, vuol dire che da qualche parte è frantumata e c'è pericolo di separazioni, di distacchi, di frane... Va be', magari è un po' più scientifico, ma la base è questa.

Pietro Caloi va in giro a battere tutte le rocce della valle. Tonnnnn... E intanto prende appunti. Tonnnnnn... Scrive anche lui la sua relazione. Tonnnnnnnn... La sua relazione? Tonnnnn... Sarà che la relazione di uno che... Tonnnnnn... va in giro a batter rocce e... Tonnnnnn... ascoltarle suonare... Tonnnnnn... Altro che relazione: sarà una partitura! Musica per martelletto e roccia... Tradotta in prosa, la relazione di Caloi è tutta un'altra musica rispetto a quella di Müller. Caloi dice: «*La costa del monte Toc appoggia su un potente supporto roccioso autoctono*». Quella del geofisico è tutta un'altra pasta rispetto a quella del geotecnico. In particolare, è quell'autoctono che ti allarga il cuore! Io non capisco niente di geofisica ma mi vien da domandare a questo signore: ma come doveva essere questa costa? Immigrata? E da dove?

«*La frana, se c'è...*», concessione d'obbligo al geotecnico austriaco. «*La frana, se c'è, riguarda però soltanto alcuni strati di sfasciume superficiale, al massimo 20-30 metri di spessore. Sotto è roccia compatta.*»

Visto? Non c'è pericolo!

Sì, sì... Però scusate, se a voi, nel giro di pochi giorni, un medico vi dice: «Operare!», e un altro medico di cui vi fidate allo stesso modo vi fa: «Macché operare...», voi cosa fate?

Consulterete ben un terzo medico, no? Da noi elegantemente si dice: «Va' in mona anche sparagnar sulla salute! Vado da altri quattro!».

In realtà per esser completate le indagini consigliate da Müller hanno bisogno di nuove campagne, di ulteriori esami che vengono affidati a un giovane geologo laureato da pochi anni: Edoardo Semenza.

Il padre forse si sarà opposto, lo vedo che si schermisce con la SADE: «Ma no... Ma no... Perché volete assumere proprio mio figlio?».

«Sì, Edoardo Semenza.»

«Edo? Ma è mio figlio. No, no, non se ne parla... Quel contestatore, mi contraddice sempre, per partito preso, no, no, quel capellone...»

Ma hai capito cosa ho detto? E non ti ribelli? Va bene la nonna con lo schioppo, va bene il sidecar Gilera rosso, ma non puoi berti anche questa! Ti ho appena detto che un padre chiama il figlio «capellone», «contestatore»...

Nel 1959?

Ma dov'erano i capelloni nel '59? Dài!... Sono venuti almeno cinque, sei anni dopo... Cos'era Edoardo Semenza, il figlio dell'ingegnere? Un teddy boy? Ma ce n'erano ventiquattro in tutta Italia, di teddy boys! Magari uno era il figlio dell'ingegner Carlo Semenza. Io non so che rapporto ci fosse tra padre e figlio. Quello che so è che, come dice Tina Merlin, in questo caso la SADE assume il figlio come giudice del destino dell'impresa del padre.

Però calma, prima di trarre conclusioni.

Edoardo Semenza è geotecnico preparato e conosce la questione non perché il babbo ne parla a cena, ma perché dall'inizio è stato sul Vajont. Aiutato da un altro giovane geologo, Franco Giudici, si mette a percorrere la montagna. Forse non hanno più trivellato, ma me li immagino sulle tracce dell'austriaco, a fare il lavoro e la strada che fu di Müller. Carotaggi sotto il monte Toc... Finito il monte Toc, carotaggi sotto il monte Salta... Naturalmente cascano dentro allo stesso orto di prima, e li becca lo stesso contadino:

«Cosa fa?»

«Carotaggi.»

«L'austriaco non la piantava mica così la carotatrice, sa... Lui metteva... Ecco, ghe fasso veder mi...».

Nelle osterie di Erto si comincia a disquisire sulle caratteristiche peculiari della scuola italiana di carotaggio e di quella austriaca... Con sempre maggior competenza.

E tra una chiacchiera e un bicchiere arriva l'autunno, e insieme all'autunno, prima che faccia troppo freddo, arriva di nuovo l'allegra Commissione di collaudo. Si son trovati così bene la prima volta che pensano di tornarci più spesso.

Ma c'è anche un'altra ragione per cui non possono fiondarsi subito a Cortina... Eh, no, dal Vajont devono passarci un momento, perché la diga è finita.

24. La diga è finita. La valle del Vajont comincia ad andare sott'acqua

Sissignori, la diga nell'autunno del 1959 è bell'e che finita!

Sì, va bene, manca ancora la ringhiera... «Stavolta la vediamo da giù, vero colleghi commissari?» Manca qualche rifinitura, ma al grezzo è finita: 360.000 metri cubi di calcestruzzo in piedi! Dritti, tre anni di lavoro che hanno fruttato grazie alla competenza, alla perizia delle maestranze... – qui il viso dell'ingegner Semenza si fa scuro – ...e grazie al sacrificio dei dieci operai caduti sul lavoro. Segue l'elenco dei nomi, di cui alcuni, credo, letteralmente caduti... Però, a pensarci bene, io non capisco perché questi dieci operai non li mettono mai nell'elenco delle vittime del Vajont. Forse perché facevano parte di un altro preventivo...

«Gli operai non rispettano sempre volentieri le norme anti-infortunistiche...»

«Sarà per questo...»

Il più bell'epitaffio si legge sulla lapide di uno di questi operai. La vedete dentro l'ultima galleria prima di arrivare alla diga, e dice:

Diga funesta, per negligenza e sete d'oro altrui,
persi la vita che insepolta resta. Felice Corona.

Bella, eh?

Madonna se è bella! La diga finita è bellissima. Bianca. Sembra il genoa di una barca a vela che abbia preso vento e sia rimasto congelato lì, nel gesto atletico, in mezzo alla roccia, nella montagna. Non sembra vera, sembra finta. Uno di quei segni che faceva l'arte italiana in quegli anni. Astratta, informale... Un cretto di Alberto Burri, un taglio di Lucio Fontana sulla tela.

Bella.

Oh! Bella fin che vuoi, ma con tutto quel che costa, se non ci metti l'acqua non è che puoi giustificarla come opera d'arte...

Tranquilli! La Commissione, tra le altre cose, ha il compito di autorizzare la prima prova d'invaso.

Autorizza e torna a Roma... Passando da Cortina e da Venezia, che come si sa da Longarone è la strada più breve.

Così la valle del Vajont comincia ad andare sott'acqua... Avete presente quanto tempo ci vuole a riempirvi la vasca, quando avete voglia di un bagno come si deve, uno di quelli che avete bisogno di tener sott'acqua anche le ginocchia? Ci vuol tempo... Avete idea, allora, cos'è riempir d'acqua tutta una valle? Ci vuol tempo, tanto tempo...

Intanto anche Franco Giudici e Edoardo Semenza cominciano a consegnare i loro rapporti. Veramente tutto questo andare e venire di rapporti sulla conformazione geologica della valle io lo comprimo tutto in un anno, ma è solo per ragioni narrative, perché in realtà dura di più. Comunque ai due, Giudici e Semenza, va riconosciuto che han lavorato bene, con coraggio. Giù il cappello! L'esito è imprevisto: i due confermano la perizia di Leopold Müller. Anzi, si spingono più in là. Sembra proprio che siano i primi a capire esattamente come stanno le cose lassù.

«La frana col fronte di due chilometri c'è, eccome», dicono. «Anzi il fronte è di 2400 metri con uno sviluppo in altezza di...»

Boh... Non si sa quanto sia alta la frana, non si sa fin dove si spinga su per il monte Toc, le indagini si sono limitate alla fascia di rocce e terreni che fiancheggiano immediatamente il lago. Verso l'alto le indagini non hanno superato quota 800, il lago dovrebbe arrivare un po' più su di quota 700. Nessuno ha proposto di esaminare i terreni del Toc fino in cima, ma fin dove è arrivata l'osservazione il terreno è coinvolto nella frana. C'è una frana in atto così grande che tutto il fianco della montagna ne fa parte. La stima di Giudici e Semenza è di circa 200 milioni di metri cubi di roccia coinvolti.

Adesso sappiamo, purtroppo, che non erano molto lontani dalla verità. Infine aggiungono che si tratta di un'antica frana preistorica che migliaia di anni fa ha subito uno smottamento verso il fondo valle, secondo un piano di scivolamento difficile da individuare, ha chiuso la valle completamente, poi nei millenni il torrente Vajont testardo si è scavato un nuovo letto nel corpo della frana, ha finito di scavare la sua gola che è forse la più profonda delle Alpi per andare a gettarsi nel Piave, perché lui lì voleva andare.

Ma un pezzo della vecchia frana è rimasto isolato dal Toc sulla sponda opposta: un colle isolato – così si chiama – che ha una struttura morfologica diversa dal monte Salta e uguale al Toc. La scoperta del colle isolato ha dato a Edoardo Semenza la prova che quella valle era un'antica frana tagliata in due dal torrente, che l'intera sponda del Toc era una vecchio fronte franoso eroso dall'acqua e temporaneamente fermo, come la frana stessa. La frana potrebbe anche star ferma lì per altre migliaia di anni. A meno che...

A meno che?
A meno che qualcuno con un bacino artificiale non cominci a bagnargli i piedi, poi le ginocchia... Cava e metti, cava e metti... Dài oggi, dài domani... Un domani questa frana benedetta potrebbe anche stufarsi di star ferma e buona coi piedi a mollo, e allora potrebbe decidere di andare a vedere come è fatto il mondo.

Insomma, hanno sbagliato posto: non si fa una diga dove è già caduta una frana.

Ma siccome, l'ho già detto, la storia pare l'abbia scritta un tragico greco, appena decidono di andare avanti coi lavori, patatrac!

Arriva il fulmine. Come nella tragedia greca l'avvertimento divino.

Questo 1959 sta per finire. Il 2 dicembre arriva un telegramma. Patatrac!

Crollata in Francia diga Malpasset, al Fréjus: 400 morti.

Boia che sfiga!
Proprio adesso...

25. *Una vergogna nazionale*

La diga Malpasset al Fréjus.
Era nuova di zecca, quattro anni di vita. Un bel gigante. Un gigante coi piedi d'argilla... Non aveva abbastanza fondamenta. «Troppo poche fondamenta!», dicono un po' sarcastici verso i colleghi francesi gl'ingegneri nostrani. Alla prima

piena seria il torrente scava, scava, scava sul fondo del lago... e si presenta dall'altra parte. Appena la diga vede l'acqua dall'altra parte, sviene. E quando il calcestruzzo sviene, perde quello che ha di più caro al mondo: il suo equilibrio statico. Svapora, svampisce, si sbriciola. L'acqua se ne accorge subito... ed esce! Scappa come una puledra giovane, imbizzarrita, cieca di gioia per la riacquistata libertà... Si mette a correre, l'acqua... E corre, corre... Spazza via una valle intera dalla faccia della terra.

Provate a dir Fréjus in Francia per vedere se se ne son dimenticati come noi del Vajont... «*C'est une honte nationale*»... Una gran vergogna.

26. *La prima prova d'invaso*

L'ingegnere scrive al geologo: «*Spero di vederla presto anche per riparlare del Vajont che il disastro del Fréjus rende più che mai di acuta attualità*».

Che cominci ad avere qualche dubbio?

Forse le conclusioni di Leopold Müller e di suo figlio Edoardo non sono completamente campate in aria...

Sono i primi giorni del 1960.

Il 2 gennaio l'Italia è costernata per la morte improvvisa del suo campione, Fausto Coppi.

È il debutto dei *favolosi anni Sessanta*.

Allora prima di proseguire ci serve un riepilogo, perché da adesso in avanti è tutta questione di dati, di numeri che dobbiamo tenere a mente.

Una valle con un torrente che scorre sul suo fondo. Seguiamo il corso del torrente. La valle si stringe perché due montagne hanno il piede molto vicino tra loro: il monte Toc a sinistra e il monte Salta a destra. Quello che vedono le poiane quando si lasciano andare alle correnti ascensionali sono, sul fianco destro, due paesi. Il primo andando verso valle è Casso. Casso viene a essere 930 metri sul livello del mare. Poi la poiana vede Erto, che si trova a 780 metri sul livello del mare. Il vento tira verso il basso, e quando la valle diventa proprio solo una fessura, lì c'è la vela bianca, la diga col calcestruzzo ancora fresco che asciuga a chiazze. Il piede della diga parte da 460 metri sul livello del mare e arriva a 721 e 60... La diga, di suo, è alta 261,6 metri, ti ricordi? Tra la diga e il paese di Casso ci sono 200 metri secchi. Giù, dall'altra parte della gola, oltre la diga c'è uno strapiombo impressionante che alle poiane piace da morire. Devi vederle: fanno corse e scivolate da matte, e tutto senza mai sbattere le ali... Io credo che fanno a gara a chi dura di più senza muovere una penna. Di là della diga il torrente va a gettarsi in Piave, che fa una depressione nella valle grande, perpendicolare a quella del Vajont. Quando arrivi qua devi battere le ali subito, perché i venti ti abbandonano. Qua d'estate stagna l'afa, se non sbatti subito vai in avvitamento, caschi in picchiata nel Piave.

E dall'altra parte del Piave, una città: Longarone. Longarone è alta 466 metri sul livello del mare, che praticamente è la stessa quota del piede della diga.

Ma le poiane son già tornate indietro, a loro piace farsi menare dai gorghi d'aria di qua e di là della diga. In fondo alla parte concava della diga, verso monte, adesso c'è una pozzanghera. Però da un giorno all'altro c'è sempre più acqua. Le poiane non sanno che lì verrà un enorme lago...

Nel 1960 cominciano la prima prova d'invaso.

Ne faranno tre.

Prima che l'acqua salga troppo è pronta la relazione di Semenza e Giudici.

Se è vero quello che dice la perizia dei due giovani, la diga del Vajont è spacciata ancora prima di metterci un goccio d'acqua.

«Maria, vai di là che devo parlare col ragazzo.»

No, sentite, io non lo so come si chiamava la moglie dell'ingegner Semenza... Davvero questo non lo so, so che era la madre di Edoardo, ovvio. Ma su questo punto non ho voglia di inventarvi stratagemmi narrativi. È un momento troppo importante, questo. Infatti Carlo Semenza non parla al figlio geologo, gli scrive.

La lettera è agli atti del processo del Vajont.

Carissimo Edo, riteniamo indispensabile che tu mostri preventivamente la relazione al professor Dal Piaz. Se anche dovrai a seguito del colloquio attenuare qualche tua affermazione, non cascherà il mondo.

Può cascargli il Toc in testa, ma il mondo di Carlo Semenza chi lo smuove? Il suo mondo si chiama «*impresa*». Il grande ingegnere – perché Carlo Semenza lo è stato un grande ingegnere, eccome – il grande ingegnere ha dato tutta la sua vita per quell'impresa! È la sua ultima impresa, la più grande, e adesso che è finita tutti possono vedere che grande lo è veramente, grandissima! I soldi sono stati spesi. La diga si è fatta, grazie alla competenza... alla perizia... al sacrificio...

E adesso?

Adesso per le chiacchiere di un geologo, ancorché sangue del tuo sangue, si bloccherebbe tutto? Ma non scherziamo! I laureati non son tutti uguali... Eh no, non scherziamo... Geologi... Cosa fanno i geologi? Relazioni. Che son chiacchiere! Gli ingegneri civili fanno calcoli, che sono numeri, che sono soldi! Gli ingegneri civili di quegli anni lo fanno e lo dicono: «Noi siamo la punta di diamante della classe dirigente. Noi siamo la spina dorsale di quelli che han tirato su l'Italia dalla merda dopo la seconda guerra mondiale!». In anni in cui i russi cominciavano ad andare nello spazio e gli americani gli correvano dietro – vi ricordate? – in quegli anni lì noi italiani si faceva dighe come non le faceva nessuno al mondo. La diga del Vajont è il passaporto per andare a costruire la diga di Assuan in Egitto che si comincerà a costruire nel 1960: la diga più grande del mondo di quegli anni l'hanno costruita gli italiani! E allora: ma ti pare che si bloccano i grandi appalti internazionali, orgoglio e vanto dell'industria nazionale, solo per le misere beghe di casa nostra? Cos'è, una disputa tra scuole geologiche? E ti pare che per queste stupidaggini ci mettiamo a buttare discredito sulla nostra industria, e ti pare che ci assumiamo la responsabilità di lasciare libero il campo agli americani e ai francesi, che non aspettano altro che di ficcarcelo... No! Non parlava sicuramente così l'ingegner Semenza... Ma le relazioni dei geologi, quando non servono agli ingegneri, si chiudono nei cassetti. E se proprio ha da andar male, qualche anno dopo lì, proprio in quei cassetti, le troveranno i giudici...

Così si decide di andare avanti.

Ma com'è che si riempie una valle?

Cosa fanno? Aprono i rubinetti? E dove sono i rubinetti di una valle? E li aprono tutti insieme? Cos'è, un'alluvione?

Praticamente sì. Solo che è un'alluvione controllata.

L'alluvione controllata differisce da quella spontanea principalmente per due caratteri, uno temporale l'altro psicologico. L'alluvione controllata viene lentamente, l'acqua sale piano piano, è distribuita nel tempo al punto da diventare permanente. Ciò produce il secondo carattere, quello psicologico. Mentre l'alluvione spontanea arriva, devasta e passa, l'alluvione controllata agisce per sfiancamento. Ti logora, è una specie di assedio. Vivere a Erto o a Casso ai tempi dell'alluvione controllata doveva essere come stare nel forte di Drogo, quello del *Deserto dei tartari* di Dino Buzzati. Anche se in fin dei conti gli effetti dell'una e dell'altra alluvione sono gli stessi: ti porta via tutto...

«Cos'è quella che va sotto? È la casa di tuo nonno?»

«Sì, io son nato là...»

Sì va ben, dài: letteratura, romanticismi, lascia stare! Vuoi che te lo dica io cos'è successo?

Nessuno è rimasto lì fermo a guardar la casetta natìa che va sotto! Ma neanche per sogno! Perché sprecare è peccato. Lassù nel 1960 non si butta via niente. Prima che la casa vada sott'acqua, porti via tutto quello che puoi salvare. Mobili, masserizie, il letto, ovviamente, ma quando la casa è tutta vuota cominci con gli infissi. «Stacca persiane!» «Stacca telaio e finestra e porta via!» «Cava i riporti de legno!» «'Sta settimana l'acqua vien su più rapida... Comincia a scoperchiar il tetto, recupera i coppi!» «Guarda che l'acqua vien su!» Smonta traversine e travetti: l'acqua! E quando l'acqua arriva a circondare le case, che non puoi più andarci a piedi a portar via roba, qualcuno comincia a costruire zattere coi fusti dell'olio, sopra i fusti tavole di pavimenti e navigare... Avanti e indietro sul lago... Molla gli ormeggi! I cimbri non son mai stati un popolo marinaro, vengono dal cuore della terraferma, sono mitteleuropei... Devi vederli navigar su e giù per il lago che cresce: quando vengono verso la riva del Salta, verso i paesi, carichi di mercanzia, hanno un po' di paura, ascoltano l'acqua che sale, ascoltano gli scricchiolii del carico, ma quando tornano indietro e il natante fila devi sentirli: cantano... E intanto l'acqua sale... Non c'è più niente da portar via, ormai l'acqua ha sommerso tutte le case, e continua a salire... E loro continuano a navigare, sembrano bambini col giocattolo nuovo. Qualcuno si è fatto anche barchette più piccole, eleganti, da diporto... La sera vanno in gondola: «*La biondina in gondoletta...*».

Eh, no! La SADE tutto questo movimento, 'sto andar e venir, 'sto su e giù sul lago... Eh, no! Questo casino sul lago non si può sopportarlo e fa un'ordinanza tipicamente veneziana: divieto di navigazione.

E intanto l'acqua sale...

Un divieto di navigazione a Erto e a Casso? Tra 700 e 900 metri sul livello del mare?

È la roba più estranea alla mentalità del montanaro, che è nato in una valle con un torrente striminzito.

Tutti continuano bellamente a navigare, figurati!

E intanto l'acqua sale...

E vengono multati.

D'altra parte, sta' attento. *La biondina in gondoletta*, l'unica canzone veneziana che cantano i gondolieri perché il resto è tutto repertorio napoletano, *La biondina in gondoletta* l'ha inventata un abate di Longarone nel Settecento. Giuro! Son due secoli che lassù aspettano l'occasione di vedere se è vero che portando la biondina in gondola e poi lei si addormenta e magari succede qualcosa... E adesso che hai la gondola e il lago, vuoi che non si vada a navigare?

Loro ci vanno lo stesso.

E intanto l'acqua sale...

La SADE fa le multe, e intanto nessuno le paga...

E intanto l'acqua sale, sale, sale...

Ma quanto diavolo sale quest'acqua?

27. Si stacca la prima frana

L'acqua dovrebbe fermarsi alla quota di metri 600 sul livello del mare, il che vuol dire più o meno a metà della diga: lì dovrebbe finire la prima prova d'invaso.

La prova d'invaso in un serbatoio è come la prova di carico su un ponte. Come la fai la prova di carico? Così: riempi il ponte di camion carichi di blocchi di cemento, poi li tiri via. Se il ponte c'è ancora, è collaudato. Stessa cosa per la prova d'invaso in un serbatoio: metti l'acqua nel serbatoio, poi la fai uscire. Se la diga c'è ancora... cioè, se non si è spostata troppo, perché le dighe un pochino camminano sempre: per forza, metri cubi d'acqua son tonnellate, e qua parliamo di milioni di metri cubi, quindi di milioni di tonnellate... Insomma, se il fondo della valle non è un groviera, se le cose vanno bene, allora la prova d'invaso è riuscita: puoi metter dentro tutta l'acqua che hai previsto.

Ma non puoi metter tutta l'acqua in un colpo, perché se da

qualche parte c'è un buco sono guai grossi. Allora, per fare i controlli, per vedere lo stato del fondo dopo una prova d'invaso, bisogna togliere l'acqua, se no cosa controlli?

È un lavoro di pazienza....

Solo che ogni volta che togli acqua perdi tempo. E il tempo, quando sono impiegati tanti capitali, non è denaro: è molto denaro! Poi si sa, quando si vede che il lavoro tiene, viene l'entusiasmo. Sai quanto eccita vedere 'sto bestione di calcestruzzo all'opera? Come una mano che tira i suoi nervi e non molla... Tu vedi che ce la fa, Cristo se ce la fa! È una potenza! Chi è che può dirti qualcosa?

«Veramente ci sarebbero da ottemperare gli obblighi di legge...»

«Cosa?»

«La prova d'invaso...»

«Burocrati sfaccendati e inetti! Sempre a cercar d'imbrigliare gli uomini d'azione... Pidocchi che non sapete niente, che non avete coraggio!»

Chi li ferma quegli uomini lì quando vedono prender forma la forza che hanno immaginato e poi progettato e poi curato. Non c'è perizia geologica che tenga. Se c'era qualche dubbio, di fronte all'acqua che cresce e alla diga che tiene senza neanche impegnarsi, il dubbio si appanna, e infine svanisce.

Burocrazia! I controlli sono solo burocrazia.

Svasare è solo tempo morto... I tempi burocratici son solo tempi morti.

La SADE ha fretta.

In quel periodo in Italia comincia a girare una parola nuova: «*nazionalizzazione delle aziende idroelettriche*». Mamma mia! C'è il rischio che lo Stato ti porti via la diga prima ancora che sia partita... La SADE ha fretta di collaudare per cominciare a produrre.

Ottengono un'autorizzazione a fare la seconda prova d'invaso senza svuotare il serbatoio dopo la prima. L'autorizzazione consente di portare direttamente l'acqua a quota 660 metri sul livello del mare.

La seconda prova d'invaso è praticamente la prosecuzione della prima. L'acqua continua a salire. È come fare due prove d'invaso in una.

Verso la fine della primavera l'acqua comincia a toccare la

81

quota di 650 metri. Evidentemente sono più o meno lì i piedi della frana. Comincia a succedere al Vajont quello che era già successo a Pontesei. Rumori sordi dentro la montagna. Come rutti che non trovano sfogo... Budella che brontolano... Le biondine in gondoletta sono nervose. E anche i loro gondolieri smettono di cantare quando cominciano a notare piccoli franamenti sulle sponde... Macchie giallastre di acqua, molto ben localizzate... Sempre più o meno negli stessi posti...

«Uh, la casca... Uh, la vien...»

Sono in molti a raccontare ancor oggi che, davvero, gli ertani dicevano, con cimbrico scetticismo: «Uh, la vien, la vien. Uh, la casca, la casca...».

E parlavano della frana come di qualcosa che non li riguardasse: «Uh la casca, la casca...».

È incredibile lo sguardo dell'uomo che osserva il proprio destino. È sempre assente, come se poter dire «io l'avevo detto» fosse il bene ultimo, la suprema ragione...

«Uh, eccola che la vien!»

E infatti la frana casca.

La prima frana al Vajont cade nel 1960!

E non cade mica in un giorno qualsiasi. Perché ve l'ho già detto, questa storia pare che l'abbia scritta un greco antico...

Però non è neanche il 1° aprile.

Man mano che si va avanti vien sempre meno voglia di scherzare. Ho fatto apposta a farti guardar là, al 1° aprile, perché voglio farti posare lo sguardo in un posto per potertelo spostare. È una data importante e voglio che te la ricordi, perché è molto più importante del 1° aprile.

Verso la fine della primavera – cosa sarà stato? i primi di giugno? – si cominciano a sentire i primi rutti dentro la terra. Ma sai quanto ci vuole perché la gente li senta? Così sarà verso luglio o agosto che si vedono le prime franette: ma sai quanto ci vuole perché qualcuno le veda? E anche quando si comincia a vedere e si comincia a sentire, mica ci si crede! Le macchie gialle si vedono a settembre. Hanno i loro tempi, gli elementi... Tutto si intensifica poi con le prime piogge:

«Uh, la vien, la casca!».

4 novembre 1960.

Dopo una settimana di precipitazioni straordinarie la frana si stacca dal monte Toc e piomba nel lago in data 4 novembre 1960.

Precipitazioni straordinarie?

Ma allora sono straordinarie un anno sì e uno no.

In che giorno l'Arno allaga Firenze? Il 4 novembre del 1966.

In che giorno l'acqua alta del secolo a Venezia? Lo stesso 4 novembre del 1966.

E più recentemente, in che giorno il Tanaro allaga il Piemonte? Il 5 novembre del 1994. Sempre in ritardo i piemontesi...

Non è questione di precipitazioni straordinarie. È che all'inizio di novembre, Cristo, piove! E se il territorio è un colabrodo vengono alluvioni, disastri e catastrofi!

28. La frana c'è veramente! Tempesta di cervelli

A chi si rivolgono gli ertani quando casca una frana davanti al paese?

All'unica che gli dà retta: Tina Merlin.

«Ma non posso, ho il bambino.»

«Porta anche lui.»

«Ma non ho la macchina.»

«Vien con tuo marito...»

La mattina del 5 novembre una Ford Anglia scala la carrozzabile verso la diga. Tina con figlio piccolo e marito che bestemmia. E ha ragione: sotto il diluvio universale, la Ford Anglia per tenerla in strada non basta il volante... Sai sciare? Il cristiania con gli sci a valle... a valle... le racchette fora dal finestrin, va ben! E porco su e porco giù... Però riescono ad arrivare fin su.

Troppo tardi.

Troppo tardi: la SADE il giorno dopo ha già montato reticolati intorno a tutta la frana.

«E perché?»

«Per prudenza.»

«Ah, grazie. Adesso usate la prudenza?»

Il pezzo di montagna caduto nel lago ha sollevato una grossa ondata, ma non è solo in basso vicino all'acqua che è franato. Su in alto tra pascoli e boschi si è aperta una fessura di un metro che corre lungo il fianco della montagna per 2400

83

metri. È impossibile da nascondere... Il marito di Tina, accompagnato da due cacciatori, la percorre tutta. «Più che una trincea scavata pare uno strappo su un vestito...» È scivolato a valle un pezzo di montagna grande con sopra case, strade, orti, boschi e torrenti... Lo strappo ha una forma nitida di M, come la M di Müller, ma non l'ha fatto lui, c'è da crederci... È come un iceberg: la frana caduta nel lago era la punta, il resto è disegnato in modo netto, inequivocabile, e fa paura.

Mentre scendono dalla montagna alla diga vedono un vecchio. È Giorgio Dal Piaz che smonta dalla Flaminia nera con la sua barba bianca. E insieme a lui altri otto: tutti gli esperti che la SADE ha convocato al Vajont per fare una tempesta di cervelli... Non dicono così, gli americani? «Brainstorming», «tempesta di cervelli».

Si prendono i cervelloni. Si chiudono in una stanza, si fa piover sopra lampi, saette e acqua a catinelle. E questo fa germinar le idee... Se lo dicono gli americani, sarà anche vero! Io me li immagino, dentro a 'sto stanzone, tutti i cervelli geologici, ingegneristici, strutturalistici... Tutti bagnati, infreddoliti, tutti incagnati, neri... Tutti tranne uno. L'austriaco. Che gode. Gli altri due che avevano ragione non sono stati invitati: troppo giovani per avere ragione.

Perché ormai è chiaro per tutti che aveva ragione Müller. E Pietro Caloi, quello del «*potente supporto autoctono*»? Quello che aveva detto che la frana era superficiale?

No, no, adesso Pietro Caloi ha fatto nuove indagini, adesso dice che con l'immissione dell'acqua nel serbatoio la roccia «ha avuto un rapido processo di degenerazione». Osteria! A noi da bambini l'allenatore ci diceva sempre: «Non dovete temere l'avversario, dovete essere solidi come rocce!».

Non sono tanti i cervelli che dan retta a Caloi... Piuttosto tutti guardano lui, che gongola.

«Müller, la frana si può fermare?»

«Ormai no.»

«Ormai no?»

Ma te la immagini una riunione così? Cos'è che fai?

«Si può fermare?»

«Ormai no.»

Come quando ti trovi su un tronco che hai steso sul ruscello. Arrivi a metà e ti accorgi che si muove. Paura. Tornare indietro? Andare avanti?

Prima cosa: licenziare i geologi. Minano il morale della truppa.

È poi... Hanno paura, sì, sono tutti terrorizzati i cervelli sotto la tempesta, ma ormai tanto vale andare avanti.

Non sono più nella condizione di tornare indietro.

Non sono più nella condizione di scegliere.

Adesso si può solo abbassare la testa e andare avanti senza più guardare indietro.

Se non si può impedire che cada, bisogna farla cadere. Si potrebbe, con la dinamite, rompere la frana su in alto e farla cadere a sezioni sottili, in modo da poterla controllare come... come il prosciutto di Parma nella sua vaschetta... In fondo la valle è già conformata per favorire questo procedimento. I cervelli si scatenano, le idee brillanti, geniali, fioccano come fulmini. E incamiciare tutto il monte Toc? Certo, con un impermeabile di calcestruzzo... È nel pericolo che l'uomo occidentale dà il meglio di sé. E se si facesse cadere solo quella parte della frana che potrebbe servire da contrafforte? Giusto: si potrebbe far cascare dalla parte alta qualche masso che cadendo in basso blocchi la parte profonda della frana... Grande!

Anche Carlo Semenza e Giorgio Dal Piaz ormai non hanno dubbi sul fatto che si debba far cadere la frana: «Ma sì, fate come volete, ma facciamola cadere in qualche modo questa frana. In maniera controllata, magari invasando e svasando acqua rapidamente». I due continuano a preferire le soluzioni ardite, amano sempre il brivido, altrimenti non sarebbero partiti più di trent'anni fa con quest'impresa esaltante. «Facciamo cadere la frana con la valle vuota, magari con poca acqua nel serbatoio, così non fa danno e si sistema questa sponda di montagna.»

Ma ve lo immaginate lo spettacolo? Macché Rossellini e Monicelli, qui ci vuole William Wyler... L'Oscar l'ha appena vinto *Ben-Hur*!

Sono entusiasti, gli ingegneri.

Eh, già, bravi!

Gli amministratori della SADE non condividono l'entusiasmo. «Pompieri, spaccamaroni! Ma siete matti? Poi che cosa mi succede se mi casca una frana di queste dimensioni? Ma lo capite? Mi fate cascare una frana così, mi taglia il lago in due. Mi resta un laghetto piccolo sotto la diga e uno grosso oltre la frana. Cosa facciamo? Un lago alpino in omaggio al comune di Erto?»

29. La galleria di sorpasso

Uno degli ingegneri ha una bella pensata.

«Ma se noi facciano un sifone...»

«Un sifone?»

Secondo il principio dei vasi comunicanti, se io collego due serbatoi con una tubazione sul fondo, è come se avessi un serbatoio solo in due parti: butto il liquido nel primo e il livello dell'acqua sale anche dall'altra parte. Tolgo l'acqua dal primo, il livello del liquido scende anche dall'altra parte, sempre passando dalla tubazione. Dunque: se io scavo sul fondo di questa valle una galleria di sorpasso (in realtà non basta una galleria orizzontale sul fondo del lago) che mi unisca la zona immediatamente sotto la diga alla zona all'imbocco della valle, dopo sopra può cascarci una montagna intera che io avrò comunque due laghi, o meglio un lago in due parti, collegate da un by-pass.

Costo: un miliardo.

Sapete quant'è un miliardo nel 1960?

Nell'estate del 1960 si è dimesso il governo Tambroni, e tra qualche giorno, l'8 novembre, gli americani eleggeranno un presidente di quarantatré anni: John Fitzgerald Kennedy. Gli operai italiani guadagnano tra le sessanta e le ottantamila lire al mese. Una Cinquecento costa 450.000 lire.

Un miliardo? La SADE impallidisce in tutte le sue articolazioni aziendali.

Ma è l'unico modo di salvare l'impianto.

E va bene: la società delibera l'approvazione della spesa.

E ai paesi sulle sponde? Cosa succederà a Erto, a Casso, alle frazioni e alle case sparse?

«No, non è il caso di parlarne, non è all'ordine del giorno.»

«Adesso la questione primaria è: come salviamo l'impianto? Della popolazione civile parleremo in un altro momento...»

«E poi la galleria di sorpasso permetterà anche di regolare il livello del lago dietro la frana, limitando i pericoli per i paesi...» Che dormiranno sonni tranquilli, visto che su di loro veglia la SADE.

Il 17 di novembre ritorna al Vajont l'allegra Commissione di collaudo.

«Boia can, terza volta, son sempre qua questi...»

«Ma cosa vengono a far?»

Ormai hanno tutti una coda di paglia lunga come la galleria di sorpasso. Hanno anche paura che gli cada in testa la montagna. Sono tutti convinti della gravità della situazione.

Tutti convinti, tranne uno.

Chi?

Il geologo di Stato, Penta, quello che si chiama come una macchina fotografica giapponese.

Lui ha preso in esame le due ipotesi principali: quella di Müller, secondo cui la frana è profonda, e poi quella di Caloi: ipotesi frana superficiale, leggera. Tra le due ipotesi Penta propende per la seconda, quella di Caloi. Caloi non propende più per la sua ipotesi, ma il geologo di Stato sì. Perché dice che se fosse vera l'altra ipotesi, bisognerebbe ammettere che qua è in movimento una massa di terra inconcepibile... E per non poterla concepire, lui propende per l'altra ipotesi, quella minore.

30. Il tribunale di Milano dà ragione a Tina Merlin

Il 30 di novembre di quello stesso anno, c'è un'occasione in cui l'opinione pubblica potrebbe venire a sapere del Vajont.

Si apre a Milano il processo contro Tina Merlin e contro «l'Unità», rei di avere pubblicato «*notizie false e tendenziose atte a turbare l'ordine pubblico*».

Il processo si apre e tre ore dopo è già chiuso. Assolti giornalista e giornale.

Perché?

Perché qualcuno ha fatto avere ai giudici la foto della frana cascata il 4 novembre.

La notizia falsa di cui si accusava Tina era che sarebbe caduta una frana. Questo aveva scritto sul giornale. La frana è caduta! Ma che notizie false e tendenziose, scusa!... Per forza avevano paura gli abitanti della valle.

Il giorno dopo «l'Unità»: «Vittoria!».

E in valle del Piave: «Vittoria!». «Vittoria!» «Vittoria!» «Vittoria!» «Vittoria!» «Vittoria!» «Vittoria!» In sette. Perché nel frattempo i lettori dell'«Unità» non son mica aumentati... E il «Gazzettino»? Zitto e mosca! E va bene, diamogliela vinta, scusa. Perdevano diciotto a zero, fan diciotto a uno, no? E come quando giochi scapoli contro ammogliati e perdi diciotto a zero, e cominci a guardare l'orologio perché la voglia scappa. Non hai più voglia di giocare e fai un gol... E adesso... «E adesso, se ci impegniamo...» Vero? «Se ci impegniamo...» Vincere magari no, ma pareggiare... Eh? Ci sono ancora venti minuti di partita... Cosa vuoi che sia far diciassette gol in venti minuti... «Se ci impegniamo...» Perché ti cambia il mondo a fare un gol quando perdi secco. Li hai mai visti quelli che vanno a prendere il pallone in fondo alla rete e lo portano a centrocampo? «Adesso te ne faccio subito un altro!» Ti cambia il mondo. Per un comitatino qualsiasi sentire che il Tribunale di Milano... «Orco boia!» E allora via: palla al centro e via in rete...

Subito il secondo gol: la provincia di Belluno ha messo noi, Vajont, all'ordine del giorno. E due! Oh, ti fa bene all'aria, è un toccasana. E non son più solo le opposizioni, adesso è la maggioranza. Tutti parlano del Vajont, anche a Belluno. Sapete, era successo a Vallesella nel '56 che il paese aveva cominciato a franar nel lago... «Oh, sì, anca qua visin, a Pontesei, nel '59, la frana che ha mangiato l'Arcangelo Tiziani, poareto...» Adesso, nel '60, sta succedendo a Erto...

Ma questa SADE che porta via la terra e non paga i sovracanoni dell'acqua, per le popolazioni delle valli che cosa fa?

1961

31. *Prove di catastrofe*

Della questione Vajont viene investito il presidente della Provincia di Belluno.

All'inizio del '61 il Presidente della Provincia si chiama Da Borso, e naturalmente è democristiano. La Tina Merlin, comunista, nel suo libro, dice di Da Borso: è un galantuomo quello. E io penso a mio nonno: uno all'antica, onesto, insomma. Un uomo buono. Vivaddio! Si potrà ben stimare un avversario e continuare a tenerselo per avversario, no?

Che cosa ne sa questo signor Da Borso del Vajont? Niente, probabilmente.

Però cerca d'informarsi. Declinazione prima di galantuomo è l'imparzialità, la quale richiede anzitutto distanza, l'istituzione di un punto di vista che permetta di osservare i fatti fuori dall'emotività che avvolge i protagonisti. Inutile cercar di capire dalla società costruttrice, che ha interessi forti in causa: questo ci vuol poco a saperlo. Inutile dar conto ai montanari che, necessariamente, si affidano a impressioni estemporanee, a suggestioni.

Da Borso chiede mandato di interpellare il suo superiore su questo argomento. Ottiene il mandato. Eccolo quindi che si rivolge... A chi? Chi è il suo superiore?

Il ministro dei Lavori Pubblici.

Ahi, ahi, ahi... Quello del circo?

Tranquilli. Il ministro è cambiato, non è più quello del Circo, è un altro. Adesso è uno che passerà alla storia, anche lui, con la faccia e anche la reputazione di un galantuomo: Benigno Zaccagnini. Come fai a spiegare ai giovani che non lo hanno conosciuto chi era Zaccagnini? Una speranza? Una illusione? Una frana? Mah...

Che ne sa Zaccagnini del Vajont?

89

Niente, probabilmente. Giusto quel che ha visto ai cine-giornali.

Però cerca d'informarsi.

Domanda al Genio Civile, che se ne lava le mani: c'è un ufficio apposta. Lo manda dal servizio dighe.

«Chi è il più competente sulla diga del Vajont?»

«Il geologo Penta.»

L'unico ottimista.

Penta fa la relazione al ministro dicendo che sì, è vero, è cascata una frana il 4 novembre, ma quelli del comune di Erto esagerano. E poi, dopo la caduta della prima frana, quella piccola, la SADE ha già preso tutti i provvedimenti necessari.

«Ah, bene. E in cosa consistono?»

Lungo tutto il perimetro della frana grande, che peraltro è solo presunta, la SADE ha fatto montare una rete di 24 punti di rilevazione luminosa.

«Che cosa sarebbero?»

Sarebbero delle paline in ferro, bianche e rosse, con una lampadina sulla punta. Così se la frana cammina si vede anche di notte.

Poi la SADE, a spese sue, ha fatto montare alla diga due sismografi che sentono anche le scosse di terremoto in Cile.

In Cile ringraziano.

E poi, sempre a spese sue, la SADE ha dato incarico all'Università di Padova di fare delle prove su un modellino per simulare le conseguenze di una frana su un serbatoio come quello del Vajont.

Zaccagnini, rassicurato, trasmette a Da Borso.

Da Borso, come abbiamo già detto, passa per essere un uomo buono. Ma no tre volte bon, che dalle nostre parti vuol dire mona! Come sarebbe «prove su un modellino»? Da Borso capisce subito che se le cose stanno così, diobon, il pericolo c'è, eccome!

32. La SADE è uno Stato nello Stato

Se l'Università di Padova fa prove di catastrofe, le cose stanno peggio di come gli avevan detto da Roma. Stanno addirittura peggio di come sospettavano le opposizioni.

Adesso a Roma ci vuole andare lui. Si spende, di persona,

per una settimana a chiedere negli uffici notizie sulla SADE e sul Vajont.

Non ottiene niente.

Torna su a Belluno. Lo aspettano in Consiglio provinciale: deve relazionare sul viaggio a Roma. Lui non ha niente da dire. Come non ha niente da dire? L'opposizione incalza. Lo accusano di coprire il ministro. Lui sbotta, e dice... Io lo so cosa dice, perché c'è scritto sui libri. Ma è una voce che non so fare. Mi piacerebbe sentire con che voce Da Borso dice in consiglio che... non ha niente da dire perché non ha potuto sapere niente... Perché è difficile lottare contro questa SADE che è come uno Stato nello Stato.

Uno Stato nello Stato...

Ogni volta che racconto questa storia, quando arrivo qui mi viene la tentazione di non continuare, di far sciopero muto, perché è difficile usare le parole quando il loro uso si è incrociato ormai così tante volte alle cose, ai fatti, da renderne difficile la comprensione.

«Stato nello Stato»... È un'espressione svuotata, priva di senso per esser stata abusata, per indicare troppe baronie, troppi abusi, troppe reticenze... È come il Muro di Gomma: lo si può dir di tutto e quindi non significa più.

Cosa sarà?

Uno Stato nello Stato che tiene a distanza, nasconde, occulta, insabbia, scantona, collude... Quante volte ho sentito questa parola... È come dire «muro di gomma».

Stato nello Stato. Le hai dette e ridette per un caso, poi le hai travasate in un altro caso... Le hai usate una volta per l'altra, finché hanno perso il loro significato, si sono svuotate. Ormai sono diventate luoghi comuni, non riescono a dirti più niente.

Però attento: io ti sto dicendo che queste parole non le diceva un giornalista di pochi scrupoli o un pretore d'assalto. Che la SADE era uno Stato nello Stato lo diceva un uomo del governo dello Stato, un democristiano veneto nel 1961! Otto anni prima di piazza Fontana! E non è che volesse insinuare responsabilità sulla strategia della tensione. Voleva dire: «Attenzione, ci sono dentro allo Stato poteri incontrollabili, potenzialmente assassini!».

Primi mesi del '61. Uno degli inverni più gelidi a memoria d'uomo.

Ipocriti! Certo che la frana si è fermata... È il ghiaccio che la tien ferma, ipocriti!

Fin quasi a metà marzo è il ghiaccio che la inchioda. Ma con i primi soli, si rimette a camminare!

«Eh, la se move, la se move...», dicevano i cacciatori che vedevano le fessurazioni su in alto, sul Toc, allungarsi piano...

La SADE intanto ha già cominciato a costruire la galleria di sorpasso. Hanno asciugato il lago e hanno cominciato a scavare sul fondo, senza dir niente a nessuno. Tanto stanno lavorando sul suo, perché dovrebbero giustificarsi?

Nessuno capisce bene. Però, sai, gli operai alzano il gomito la sera... E anche i geometri... E perfino gli ingegneri possono parlare, se a intervistarli è una bella donna, oltre che una brava giornalista. E la Tina era tutte e due le cose. Un mastino, di quelli che quando addentano l'osso non lo mollano più, una che non alza mai la voce, ma quando parte, chi la ferma? Montanara, testa dura... E quando è febbraio la Merlin, brava giornalista, ha messo insieme i materiali per un altro articolo. E lo manda al suo giornale.

«l'Unità», edizione del Veneto, la stampavano a Milano.

All'«Unità» a Milano l'articolo della Merlin non passa. Per sette giorni viene bloccato in redazione.

Perché?

Probabilmente perché anche a Milano si sono convinti che si è montata la testa dopo che ha vinto il processo. Cercano anche di spiegarglielo: «Donna, non può esser come dici tu... Ce le hai le prove per quel che stai dicendo? Vuoi un altro processo?». Ma questa montanara, testa dura, insiste... All'«Unità», a Milano, ci lavora un giornalista nativo di Erto che si chiama Sante Della Putta. Io mi immagino la telefonata tra questi due...

Chissà se allora la redazione milanese dell'«Unità» era un open space? Forse quelle sale grandi con tutti i tavolini e le macchine da scrivere che ticchettano ci sono solo nei film di Billy Wilder. Però te lo immagini? Sante che parla forte e agita le mani, e piano piano tutti che guardano, smettono di ticchettare sulle Olivetti M40, tutti che ascoltano, ma nessuno che capisce niente, perché Sante parla in bellunese stretto. Solo ogni tanto si capisce: «Ma le prove? I ne fa fora tutti! L'emo scampà la prima volta ma la seconda nemo in galera... No, no... No...».

È un mastino, la Tina Merlin.

Una frana di 50 milioni di metri cubi minaccia vita e averi degli abitanti di Erto.

È questo il titolo dell'articolo. Ed è bello grosso... Ma non è grosso perché esce su sei colonne in cronaca nazionale. No, è grosso perché è come dire: «Attenzione! Attenzione che c'è una Valtellina pronta a cascar giù. Sappiamo dove, come e quando». L'unica cosa che non potevano sapere è che la SADE l'aveva calcolata quattro volte più grande, la frana. 200 milioni di metri cubi. Ma non avevan detto niente a nessuno.

34. Provocazioni clandestine alla frana

Intanto la galleria di sorpasso è finita.

È estate. Belle giornate chiare, belle serate fresche. Chi arriva?

L'allegra Commissione di collaudo.

Tornano al Vajont per inaugurare la galleria.

La SADE ha fretta. Vorrebbe ricominciare a metter l'acqua. Hanno perso sei mesi di tempo per colpa dell'inverno gelido e per colpa di questa maledetta galleria, ma adesso c'è il disgelo e di acqua ce n'è tanta! Oltre a tutto in quei mesi in Italia è montata una parola nuova sempre più incombente: «*nazionalizzazione delle industrie idroelettriche*».

«Mamma mia, c'è il rischio che arrivi lo Stato prima ancora che abbiam finito la diga!»

La SADE ha fretta di collaudare!

Ma la Commissione di collaudo non sembra più tanto allegra, non è così convinta. «In fretta, forza, che così si va a Cortina...» Eh, no: è cambiato il presidente della Commissione. E quello nuovo il permesso di tornare a metter l'acqua non glielo dà.

Però appena la Commissione riparte, per Roma stavolta, la

SADE riprende a invasare. Loro non possono stare ad aspettare. Cominciano ad aprire i rubinetti e l'acqua comincia a salire. «Tanto poi l'autorizzazione arriverà, è sempre andata così.» Questa volta si va su in fretta. In pochi giorni si arriva a 600 metri. Eh, sì, perché la SADE vorrebbe mettere l'acqua direttamente a 680 metri, per avvicinarsi al collaudo definitivo.

E infatti l'autorizzazione arriva.

Visto? Apri tutti i rubinetti! Oltre 620 metri...

Ma il livello dell'acqua che consente l'autorizzazione della nuova Commissione di collaudo è molto più basso di quello richiesto. Altroché 680 metri: non più di 540.

540 metri?

Ma in valle sono già arrivati a 640. Il livello consentito l'avevano superato ancora prima che arrivasse l'autorizzazione.

«Cosa facciamo?»

Sono ben decisi a continuare a salire.

«Bisogna convincerli a darci qualche metro di acqua in più!»

Niente da fare. Col nuovo presidente la Commissione gira a un altro regime.

Ma la SADE continua a riempire il lago. Quando l'acqua comincia a toccar la quota di 650, solita storia! La montagna ricomincia a tremare.

Per forza! Quello che si è fatto nel frattempo è solo scavare una stupida galleria. Nient'altro. Non sono mica state rimosse le cause del pericolo! La frana è sempre là! Non si può rischiare di andar troppo su con l'acqua, ma non possono nemmeno star fermi ad aspettare che quegli altri, quei burocrati romani, si decidano a dare il permesso.

«C'è un cantiere, cristo! Possiamo mica tenerli fermi, gli operai...»

E quindi avanti. L'acqua sale rispettando tabelle e ritmi proposti da Müller, allo scopo di provocare il distacco e il franamento progressivo di piccole masse di terreno. Provano a far cadere la frana in modo controllato.

La seconda prova d'invaso prevede periodi di salita lenta dell'acqua alternati a brevi soste con acqua ferma e repentini svuotamenti di una parte dell'acqua immessa. Come se volessero fare il solletico alla sponda, renderla sensibile alle sollecitazioni e provocare assestamenti o distacchi controllati. Cava e metti, cava e metti, vediamo se la frana... Tanto la galleria di sorpasso è fatta.

È questo fanno: chiudono i rubinetti e aprono gli scarichi di colpo. Come gli cavano l'acqua sotto i piedi, però, adesso la frana del Toc si inchioda. Allora la ribagnano sui piedi... Niente: inchiodata.

Cioè: la frana continua a muoversi, ma secondo l'andamento che chissà quale misteriosa concorrenza di circostanze ha deliberato. Gli ingegneri sono verdi, malmostosi. Eh sì, perché loro fanno il diavolo a quattro, ma la frana?

Indifferente. Continua il suo corso.

E allora via! «Riaprire i rubinetti!» Il serbatoio si riempie... «Chiudi!» «Aspetta, adesso cala!» Il serbatoio si vuota... Nelle osterie di Erto la gente scommette: «Venerdì a mezzodì: piena o vuota?». E la frana? Immota. Gli ingegneri sempre più incazzati. La titillano, la provocano, la punzecchiano, le fanno fare lo stretching la mattina presto. A forza di tira e molla qualcosa si ottiene: la sponda del Toc si sposterà in avanti, in alcuni punti, di ben sei metri rispetto ai capisaldi originali. Nessuno l'ha dichiarato ufficialmente, ma è chiaro che la SADE lavora per disarticolare la frana, per provocarne la spaccatura, per farla cascare giù a pezzi.

Ma la frana non si spacca. Slitta ma resta compatta.

È dura 'sta frana del Toc. Gli ingegneri cominciano a soffrir di coliche epatiche e ulcera psicosomatica.

«Ma non avete mica l'autorizzazione a giocare così con l'acqua!»

«L'autorizzazione arriverà.»

Hanno sempre ragione loro.

L'autorizzazione a riempire il lago fino a quota 680 arriva il 23 dicembre 1961. Regalo di Natale.

Tanto la SADE a quel livello c'era già arrivata, da quasi due mesi.

35. Orazione in memoria dei padri della diga:
l'ingegner Carlo Semenza e il professor Giorgio Dal Piaz

Ai primi di novembre la diga la si può vedere così come i padri, quelli che più di tutti l'han pensata e voluta, l'avevano immaginata fin dall'inizio, quando erano arrivati quassù col sidecar Gilera forse rosso.

Il 23 dicembre la diga viene autorizzata dalla Commissione di collaudo. Il 31 ottobre 1961 Carlo Semenza è morto chiedendo perdono a Dio e alle montagne se qualche volta con il suo operato ha mancato loro di rispetto.

Un uomo del CAI, Carlo Semenza, di quelli con la zuava di velluto e la felpata a quadroni. Sai, quegli alpinisti di pianura con la tessera? È fondamentale, la tessera: è il certificato di multiproprietà. Loro, con la tessera del CAI, credono di avere un rapporto di multiproprietà con la montagna. È un fatto personale tra loro, la montagna e Dio. Partono da casa per arrivare in cima. E guardare indietro? Neanche a parlarne, non è quello che cercano, non in quel momento là. Loro tireranno diritto, sempre! E se casca un sasso, se il passo sicuro smotta una pietra che cascando accoppa il montanaro ignaro? «Visto niente, non potevo voltarmi...» «Oh, ma guarda che quel là l'è morto!» «Pazienza, il rapporto io ce l'ho con la montagna e con Dio, mica con gli abitanti... Montanari ignoranti... Sempre dritto verso la meta!»

È l'istinto occidentale: varcare i confini... Oltre le colonne d'Ercole... No, no, senti: non sto andando per metafore ingegneristiche. Parlo di montagne, di alpinismo. Anzi, guarda qua, perché la commistione è importante. Cos'è questa? Una cartolina, no? Una cartolina di montagna. Secondo te, anche se non lo vedi davvero, che cosa ci sarà dentro la finestrella della cartolina di montagna?

Ti aiuto: un fiore.

Che fiore?

Non *le* stelle alpine. *La* stella alpina. È l'unica rimasta di tutto l'arco alpino... È sempre la stessa in tutte le cartoline, te la fanno vedere sempre nella cartolina di montagna: solo una stella alpina in tutto l'arco alpino. Invece di rifugi ce n'è tanti. E allora guarda l'altra finestrella, quella al centro della cartolina: cosa c'è? Il rifugio. In questa cartolina qua il rifugio si chiama «Rifugio Carlo Semenza»: gli hanno intitolato un rifugio sul monte Cavallo.

Naturalmente c'è anche un rifugio Giorgio Dal Piaz. È sulle vette feltrine.

Perché i rifugi non li dedicano solo ai tenenti degli alpini, ma a tutti quelli che han fatto del bene alle montagne. Questa gente gli americani li chiamano *pioneers*, «pionieri», perché è gente che riesce a pensare in grande, a fare grande il proprio paese, perché riescono a concepire grandi imprese.

È vero, sono uomini straordinari. Anzi, se ne conosci qualcuno... In particolare lo chiedo alle signore: se ne hai sposato uno, per favore, per tutti noi, ogni tanto per tenerlo basso dagli un calcio sui coglioni. No, senza scherzi: gli uomini straordinari non possono andar in giro liberi. Se ne conosci uno, stagli vicino, ha bisogno di te! Per il suo ma soprattutto per il nostro bene. Lui non sa di aver bisogno di noi, quindi bisogna esser discreti e anche astuti. Non farglielo pesare, però stagli vicino! Senti, prendiamoci un impegno reciproco: ognuno di noi si prende un uomo straordinario e non lo molla. Marcamento a uomo, così forse riusciamo a stare tutti più tranquilli, va bene?

Il 31 ottobre 1961 è morto un uomo straordinario.

Carlo Semenza lo era.

Io ci scherzo e cerco di esorcizzarlo, di metterlo alla berlina, però al cospetto di quegli uomini mi scatta il sentimento della portaerei. Niente da fare. Difficile difendersi, perché quello era un uomo fuori del comune. Difficile tenergli testa. Come il suo navigatore di sidecar, Giorgio Dal Piaz. Anche lui, a modo suo, era un uomo straordinario, dal destino indissolubilmente legato al suo collega, amico e sodale.

Infatti tre mesi dopo Semenza muore anche Dal Piaz.

I due testimoni di tutta la storia escono di scena quasi due anni prima del gran finale.

36. Terremoti pratici e terremoti teorici

Morto Carlo Semenza, le redini passano al suo vice, che si chiama Biadene. Va lui al comando della situazione.

Alberico Biadene, Nino per gli amici. Entra nella stanza dei bottoni nel gennaio del 1962.

Tradizione vuole che gli epigoni siano meno brillanti dei capostipiti, ma insomma... Questo signore deve mica costruirla, la diga. La diga è già fatta, Biadene deve solo definire il collaudo.

Quando Biadene entra nella stanza dei bottoni, SADE e Ministero hanno raggiunto un compromesso onorevole: il Ministero rinuncia a mandare la Commissione in gita a Cortina e a Venezia e la SADE si controlla da sola, mandando i rapporti su sé stessa all'ufficio dighe. Il Ministero ci risparmia e il risultato non cambia.

Biadene controlla i rapporti che stanno mandando all'ufficio dighe e scopre che i suoi tecnici zelanti hanno segnalato *«scosse di terremoto in corrispondenza delle operazioni di invaso e svaso del lago».*

«Cosa avete detto al Ministero?»

«Ingegnere, con i sismografi nuovi ogni volta che la montagna ha un brivido, vien subito segnalato...»

«Ma son scosse leggere.»

«Ma noi dobbiamo riferire quello che rilevano i sismografi.»

«Cancellate!»

«Ma ingegnere...»

«Secondo, massimo terzo grado della scala Mercalli. Sono scosse di assestamento. Quando diventassero più gravi, segnaleremo al Ministero. Finché sono assestamenti li governiamo noi, non val la pena disturbare il Ministero per questo!»

Gli assestamenti durano fino al mese di ottobre, per tutta la durata della famosa seconda prova d'invaso. Secondo e terzo grado della scala Mercalli. Cinque scosse a marzo. Sono undici scosse ad aprile, sono diciassette a maggio, venticinque a giugno... No, scusate, a giugno sono ventuno: solo ventun scosse di terremoto in un mese! Vuol dire un giorno no e due sì. Vuol dire che nell'autunno del 1962 ormai tutte le case del paese avevano gli intonaci lesionati, compresa la caserma dei Carabinieri.

I Carabinieri, senza esagerare, fanno rapporto alla Prefettura.

La Prefettura chiede al Genio Civile.

Il Genio Civile risponde solerte, citando l'unica perizia o-rogeologica ufficiale esistente sulla valle: quella firmata Giorgio Dal Piaz nel 1937. Vent'anni prima che cominciasse tutto quanto.

La perizia è suffragata però dai recenti studi di Caloi e dice che, sì, la valle può anche essere soggetta a terremoti, ma sono terremoti che hanno l'epicentro in Friuli, in altre vallate. Come quindici anni dopo, il 6 maggio 1976, i friulani verificheranno sulla loro pelle. Secondo Caloi soltanto il venti per cento dell'attività sismica in valle può essere collegata alla presenza della diga. Il resto sono terremoti naturali.

Questo la Prefettura, rassicurata, trasmette ai Carabinieri. Tutto tranquillo.

I Carabinieri fanno rispettosamente notare che qua in pratica la terra trema due giorni sì e un giorno no. «Carabinieri», dice la Prefettura, «guardate che in teoria i sismografi della diga non registrano nemmeno scosse.»

I Carabinieri rispondono, rispettosamente, che però in pratica...

«Attenetevi alla teoria! Non trema la terra, vi trema il culo!»

Ormai non si può far altro: bisogna negare l'evidenza, far passare per deficiente la gente della valle di Erto.

Quando finisce la seconda prova d'invaso, nell'ottobre del 1962, l'attività sismica cessa di colpo.

Che combinazione!

Quali combinazioni stai cercando?

Loro in ottobre cominciano a togliere l'acqua perché devono controllare dopo la seconda prova d'invaso, e dopo qualche scossone più forte la montagna comincia a fermarsi.

Tutto qua.

Nello stesso periodo del 1962, da un'altra parte, si sta facendo un'altra prova. Era stata commissionata all'Università di Padova una simulazione su modello, giusto? La prova è stata commissionata al professor Augusto Ghetti, titolare dell'Istituto di Idraulica dell'Università di Padova. Ma l'esperimento idraulico non può esser fatto all'istituto del Portello o a Voltabarozzo a Padova. Troppo casino. Gente che va, gente che viene. Tutti che varda... «Che bel, che bel! Vegno anca mi...» No, no. L'esperimento si fa nel centro modelli della SADE, in un comune che si chiama Nove, sopra un lago che si chiama Morto. La paura fa novanta: sta' sicuro che là non viene nessuno a ficcare il naso.

A metà strada tra Vittorio Veneto e Longarone, sul Fadalto, lì c'è il centro modelli della SADE.

E lì costruiscono questo modellino della diga del Vajont col suo serbatoio, in scala 1 a 200.

Dì la verità, come pensi che sia questo modellino? Una roba come il plastico del trenino che ha in casa il tuo amico? Quello con tutte le stazioncine, i passaggi a livello e anche le casette del paese e il capostazione e le signore con la borsa della spesa? C'è anche il laghetto, vero, di fianco alla galleria dove si blocca sempre il trenino? Un presepe...

Il modellino della diga del Vajont è quasi una diga anche lui. Dietro ha una piscina di 22 metri sulle cui sponde ci sono delle paratoie con carico di frana. E la frana è fatta di che? Ghiaia del Piave, bella stondà.

Per accelerare il movimento della frana usano un trattore agricolo che traina la massa di ghiaia del Piave per simulare la forza della caduta di una massa rocciosa che si stacca dal Toc e casca nel lago alle spalle della diga.

Cosa c'è che non va in questo esperimento?

Sì, perché qualcosa che non va c'è, si sente...

La ghiaia.

La ghiaia è rotonda, levigata. Scivola: non ha la massa compatta della frana rocciosa.

Si sente subito, no? Va bene, è vero io te l'ho messa giù in modo che ci si arrivasse facile, che si sentisse meglio, l'ho impostata in maniera tendenziosa. Ma questa è una storia, mica un tribunale! Vuoi che ti addormento come un tasso solo perché si devono formulare correttamente le questioni? Non è questa la sede, ammesso che ci sia una sede così. È ovvio che sono tendenzioso, accidenti, non mi nascondo mica dietro il dito.

Però la stessa domanda, ai responsabili dell'esperimento, l'ha fatta il giudice istruttore di Belluno, Mario Fabbri.

La stessa domanda l'ha posta lui, correttamente, a questi professori dell'Università di Padova:

«Perché per due anni avete scaricato camion di ghiaia?». Sai cos'hanno risposto quelli?

«Perché noi siamo idraulici. Ce l'han detto i geologi di far così...»

Anche la spia fanno...

Ma questa non è la risposta forte dei criminali nazisti al processo di Norimberga?

«Noi abbiamo obbedito agli ordini.»

Ma com'è che dicono loro? «Noi siamo tecnici laureati e specializzati: quando ci siamo laureati e specializzati, abbiamo abiurato l'altra metà del cervello e ci siamo tenuti solo quella della nostra specializzazione...» Allora chi è che si nasconde dietro al dito? Perché poi il giochetto è: allora chi controlla gli specialisti? E chi controlla i controllori degli specialisti? Se per fare un cervello bisogna metter insieme almeno tre o quattro persone; si ingaggia una spirale di violenza che non si interrompe più... O tu ricominci a usare tutto il cervello, tutto! O nessuno ti affiderà mai lavori del genere.

E neanche lo stipendio...

«Moralista!»

Sì, è vero, hai ragione. Questo è moralismo. Per forza! Da novanta pagine ti racconto una storia in cui tutto è evidente dall'inizio, tutti sanno tutto. E allora perché? È che ci si stanca e allora si diventa moralisti. Però non bisogna mai fidarsi dei moralisti, hai ragione. Su questo argomento, non aggiungo una parola.

Chiamo due testimoni.

Due testimoni sulla questione specifica della prova sul modellino. Chiamo due geologi del CNR, il Centro Nazionale delle Ricerche. Si chiamano Menotti e Valdinucci. Negli ambienti geologici italiani si trova una certa resistenza a trattare l'argomento Vajont. I signori Menotti e Valdinucci sono anni che penano cercando di pubblicare un libro sulla faccenda, ma non trovano un editore. Quindi quel che hanno da dire esce a spizzichi e bocconi su qualche rivista specializzata, magari persino un po' tendenziosa. Una si chiama, per esempio, «Verde ambiente».

Su questo argomento i due geologi dicono: per un modello idraulico è di fondamentale importanza la scelta dei materiali per riprodurre, come in questo caso, un fenomeno franoso che coinvolge rocce stratificate. In verità, aver usato ghiaia per simulare il volume di roccia coinvolto dà risultati non confrontabili con la realtà.

Alla domanda al professor Ghetti: «Perché lei ha usato ghiaia?» lui risponde: «Lo so che la ghiaia non riproduce gli effetti di una massa compatta, ma secondo noi la velocità del trattore poteva compensare la mancanza di compattezza della massa».

È una risposta da tribunale.

Quando l'esperimento lo hanno ripetuto in Francia, a Nancy, hanno usato lastre di calcestruzzo avvitate insieme per simulare la caduta della frana del Toc. I risultati che hanno ottenuto erano esattamente proporzionali a quelli della frana vera.

E perché l'esperimento è stato rifatto dal professor Marcel Roubault (autore di *Le catastrofi naturali sono prevedibili*, Einaudi, Torino, 1973) in Francia? Perché quando il giudice Fabbri istruiva il processo sul Vajont e ha avuto bisogno di rifare l'esperimento, in Italia non ha trovato nessun istituto universitario disposto a prendersi un incarico che avrebbe creato imbarazzo ai colleghi dell'Ateneo patavino. Lo straordinario senso civico della comunità scientifica italiana...

Dopo due anni di esperimenti, il professor Augusto Ghetti consegna la sua relazione alla SADE:

Abbiamo simulato la caduta di uno scoscendimento roccioso nel serbatoio del Vajont della massa di 200 milioni di metri cubi di roccia, in due tempi.

«Perché in due tempi?»

«Perché è fatta a forma di M come Müller. Sono due gobbe. Vorrai mica che caschi tutta insieme, no?»

«Mai una volta il dubbio che possa cascare tutta insieme?»

«Mai.»

Pazienza...

«*E abbiamo verificato che*», dice il professor Ghetti, «*all'impatto di questa massa rocciosa col serbatoio, se l'acqua si fosse trovata alla quota di metri 700 sul livello del mare...*»

Cioè quanto sotto il ciglio superiore della diga?
«21 metri.»

«*...la frana, con l'acqua a quella quota avrebbe provocato un'ondata di ampiezza 25-30 metri.*»

Un palazzo di otto, nove piani d'acqua! Però i paesi sono più in alto!
Casso viene a essere a 930 metri sul livello del mare, ed Erto a 780, quindi si salvano... Oddio, sarebbero toccate alcune frazioncine basse e anche le strutture della diga potrebbero essere un po' pestate da quell'onda...
Ma la relazione del professor Ghetti va avanti:

«*Attenzione che se quando cade l'onda voi avete l'acqua al livello massimo del serbatoio, mettiamo alla quota di metri 715, solo 6 metri sotto il ciglio della diga, la stessa frana provocherebbe un'onda di proporzioni infinitamente più grandi, con conseguenze catastrofiche per i paesi all'interno della valle e...*», attenti, «*oltre il ciglio della diga, a causa dello sfioro di una enorme massa d'acqua sopra il ciglio della diga stessa.*»

Eccola là!

38. Entra in scena la protagonista, Longarone

Sono sei anni che è cominciata questa guerra, e solo adesso, per la prima volta, mi fanno entrare in scena la protagonista: Longarone. Fino adesso è stata tutta una questione di paesini Erto... Casso... espropri, contadini... Solo adesso scopri che un qualche danno potrebbe coinvolgere anche Longarone?
Guarda che è strano, perché Longarone è lontana: due chi-

lometri oltre la diga, che sembra irraggiungibile, remota...
Come è possibile che Longarone c'entri qualcosa?

È così strano che il professor Ghetti nel suo modello Longarone non l'ha nemmeno prevista. Perché quello è il modello della diga del Vajont.

Però il sospetto che, nel caso di distacco della frana, qualcosa potrebbe succedere anche a Longarone c'è... Sapete che cosa chiede il professore alla SADE in conclusione dell'esperimento?

«Volete finanziare un'altra serie di esperimenti per vedere il comportamento dell'onda anomala quando arriva in corrispondenza di Longarone?»

«No, grazie.»

«Allora io ho finito?»

«Sì, grazie.»

La SADE paga per sapere quali conseguenze avrebbero la frana, e l'onda, sul suo impianto, non sull'abitato civile!

La relazione finale del professor Ghetti viene redatta in due copie. Una è consegnata alla committenza, l'altra rimane al redattore. Cioè: prima copia chiusa nei cassetti della SADE a Venezia; seconda copia nei cassetti dell'Istituto universitario a Padova. Quella relazione non viene pubblicata su nessuna rivista, non viene consegnata a nessun servizio dighe nazionale e a nessun Genio Civile.

Nessun altro, tantomeno il comune di Longarone, viene messo a parte delle risultanze di quell'esperimento. È un fatto privato tra la SADE e l'Università.

Sarà un assistente del professor Augusto Ghetti, Lorenzo Rizzato, a prelevare dall'Istituto copia della relazione, che sarà così pubblicata dall'«Unità» e dal «Giorno» la settimana successiva al disastro: si seppe subito che un esperimento aveva anticipato la pericolosità del bacino, ma era già tardi.

Alla fine, però, almeno un risultato c'è stato. Il professor Ghetti ha raccomandato alla SADE: «*Non dovete più superare la quota di metri 700 nel serbatoio, se no non governate più l'onda che eventualmente si produrrebbe come conseguenza della frana*».

Chiaro, no?

«*Peraltro*», aggiunge il professore, «*la quota di 700 metri sul livello del mare può considerarsi di assoluta sicurezza nei riguardi anche del più catastrofico prevedibile evento di frana.*»

Chiarissimo.

Nell'ottobre del 1962 in corrispondenza della fine della seconda prova d'invaso l'attività sismica cessa.

I tecnici della SADE interpretano questo fatto come un segnale di assestamento della frana.

Allora nulla vieta di cominciare a pensare alla terza prova d'invaso, quella definitiva.

Quello del '62 è un autunno mite e violento. Si apre il Concilio Ecumenico Vaticano Secondo, l'11 ottobre. Solo pochi giorni dopo Kennedy annuncia: «Cuba è un arsenale russo!», e la flotta statunitense parte per l'isola caraibica. Il mondo trema. Dura solo pochi giorni la tempesta, finché il presidente americano e quello sovietico Chruščëv non accettano di trattare. Nonostante l'alternarsi di belle giornate serene e scrosci improvvisi sulla valle del Piave, per tutto ottobre, e anche a novembre, non si sentono brontolare le budella del Toc. Niente scosse di terremoto. Calma piatta.

Allora via! Riempire il lago.

Altolà. Il 6 dicembre del 1962 viene pubblicata sulla «Gazzetta Ufficiale» la legge che istituisce l'Ente Nazionale Energia Elettrica.

39. *Il meccanico della* SADE *e il meccanico dell'*ENEL

È arrivata la nazionalizzazione.

Vi immaginate a Erto?

«Venessia: a casa!»

Calma! Non è che l'entusiasmo ertano si manifesti il giorno in cui la legge viene pubblicata sulla «Gazzetta Ufficiale». Ci vuol tempo. Qualche mese.

Le società che gestiscono impianti idroelettrici sono molte, mica solo la SADE.

Poi il passaggio non è certo indolore. «Il Sole 24 Ore» titola a proposito della nazionalizzazione: «*L'economia italiana forzata ad un esperimento inutile e pericoloso*». Gli industriali dicono che la Democrazia Cristiana è ostaggio dei socialisti. Che sono le prove generali di centrosinistra. Il turno del Vajont di passare dalla SADE all'ENEL arriva il 14 marzo 1963.

E stavolta sì che anche a Erto: «Venessia: a casa!». «No che no i va a casa.» «Biadene: a casa!» «Non va a casa neanche Biadene.» «Chi va a casa?» «Nessun.»

Tutto il personale SADE diventerà ENEL.

Il Vajont viene affidato in custodia alla SADE in attesa dell'arrivo del nuovo proprietario ENEL. Inizia la gestione ENEL-SADE, con gli stessi uomini.

E diciamo pure che è giusto che i lavoratori della diga mantengano il loro posto di lavoro. Ma anche tutti i dirigenti SADE diventano automaticamente dirigenti ENEL.

D'altra parte dove va l'ENEL a prender dirigenti capaci di far funzionare 300 dighe sparse per l'Italia? Li assume in loco e gli fa mantenere la qualifica. Li tratta bene. Passano tutti dal vecchio padrone al nuovo.

Ma per chi lavorano? Per il vecchio o per il nuovo?

Difficile da dire.

Sa l'ENEL della frana del monte Toc?

Ovvio che lo deve sapere. Se tutti i suoi uomini lo sanno, lo sa anche lei, perché in fin dei conti adesso l'ENEL sono loro.

Ma chi dice qualcosa?

«Io? E perché proprio io? Anche se adesso lavorerò per l'ENEL devo far la spia proprio io?»

E mi vien in testa anche un altro ragionamento: «Quando vendo la macchina usata, devo dirglielo io a quello che la compra come va? Se me lo domanda, cosa gli dico?». Hai mai visto macchine usate in vendita che vadano male? Non te le vende nessuno quelle che vanno male. Non so dove le mettano ma, ovvio, le macchine vanno tutte bene, quando le vendi. Se poi quello che la vuol comprare insiste e ti domanda: «I freni?». Eh, i freni... I freni... Tu cosa gli dici? «Regolare.» Tu lo sai benissimo che con i tuoi freni, se è bagnato, piuttosto che spingere il pedale del freno a lui gli conviene farsi il segno della croce. Perché quella macchina lì, se la conosci, la eviti. In mano tua, che la conosci, che l'hai ridotta tu in quello stato, in mano tua ancora va. Ma in mano a un altro è omicidio colposo! Però, diobon, se finalmente hai trovato quello che te la compra... invece che rottamarla... Li butti via i soldi? Hai scrupoli di coscienza? Non sei mica un assassino. Allora prendi le chiavi della macchina, gliele dai e gli dici: «Toh! Portala dal tuo meccanico...». Se poi il suo meccanico non se ne accorge? «Pazienza... Io il mio dovere l'ho fatto...»

Lo stesso bel gesto lo fa la SADE.

Prende le chiavi della diga, le dà all'ENEL e fa: «Toh! Portala dál tuo meccanico...». Ma il meccanico dell'ENEL chi è?

Lo stesso della SADE. Perché? C'è imbroglio?

E perché dovrebbe imbrogliare?

Attento... Con tutto quel che c'è passato sopra, l'imbroglio è rimasto sotto, ma c'è.

L'ENEL ha comprato il Vajont dalla SADE come impianto funzionante (pagina 9 dell'allegato A del protocollo d'acquisto).

Ma è davvero funzionante?

Se mancava il collaudo, non era mica funzionante!

Eh, be'... Con la complicità del meccanico si può fare. E come? Difficile da credere ma il passaggio di proprietà di una diga è quasi più complicato di quello di una macchina. Bisogna stabilire il valore dei beni mobili, di quelli immobili, di tutte le voci che entrano nella nazionalizzazione. Ci vogliono settimane, mesi. Tempo! Moltiplica questo tempo per tutte le 300 e più dighe. Tempo!... Con un po' di tempo e la complicità del meccanico si può fare. Per il giorno in cui il ragioniere della SADE e il ragioniere dell'ENEL si siederanno alla scrivania per decidere il prezzo finale, qualcuno avrà provveduto a inserire nel protocollo d'acquisto anche il foglietto del collaudo che mancava.

Sei giorni dopo l'affidamento in custodia del Vajont alla SADE, l'ingegner Biadene inoltra al servizio dighe la domanda per iniziare la terza prova d'invaso, fino al collaudo definitivo dell'impianto alla quota d'acqua di metri 715 sul livello del mare.

Come «715»? E la raccomandazione di Ghetti? «*Non superate la quota di 700 metri sul livello del mare, altrimenti*»...

Nel cassetto.

Bastardi!

40. Aprile. *Collaudare a tutti i costi*

Ma vuoi rinunciare a 15 metri d'acqua?

15 metri, moltiplicato per la superficie di quel lago enorme, fa milioni di metri cubi: fa la differenza tra una perdita e un profitto. Dice la SADE: «Con tutti i soldi in più che ho dovuto spendere per quella maledetta galleria di sorpasso... Per i muri di consolidamento su quella sponda che franava... Le perizie... Le misure di rilevazione e di sicurezza... E sempre tutto a spese mie... E adesso sono costretta a vendere. E non perché l'ho deciso io, ma perché me lo impone lo Stato... E il prezzo lo fissa lui, lo Stato... Vuoi che io debba rimetterci?». Naturalmente i finanziamenti ricevuti non vengono mai tirati in ballo. «Tutto a spese mie...» E le tranches di sovvenzione pubblica, dello Stato? Dove figurano?

Insomma, tutto concorre ad accelerare i tempi. Bisogna vendere l'impianto collaudato a 715!

«E se casca la montagna?»

«Senti qua, questa casca domani come fra vent'anni. E fra vent'anni noi potremmo essere ancora qui a discutere se casca e se non casca e quando casca e quando non casca... Noi facciamo un collaudo per un giorno solo a quota 715 metri. Proprio quel giorno viene la Commissione di collaudo e chi s'è visto, s'è visto...» Tanto la responsabilità civile e penale ormai è dell'ENEL, perché tocca all'ENEL far la domanda.

Il collaudo a 715 metri sul livello del mare non conviene a chi compra, conviene a chi vende!

Se la SADE restasse proprietaria dell'impianto potrebbero anche aspettare due o tre anni a collaudare. Ma siccome devono vendere subito, il collaudo dev'essere fatto subito, perché la merce venduta è un impianto funzionante. E bisogna dimostrare che si può usare fino all'ultimo metro. Anche se è pericoloso. Lo Stato si fidava della SADE. Vuoi che non si fidino dell'ENEL? Il meccanico è lo stesso.

Sei giorni di tempo, arriva la risposta dal Ministero: «Potete cominciare a metter l'acqua. Fin dove volete».

Dal 12 di aprile, solo undici giorni di ritardo sul solito 1° aprile, l'acqua al Vajont comincia a salire per la terza, definitiva, fatale, prova d'invaso.

41. *Maggio. Azioni distensive e conseguente recrudescenza*

Tutto scoraggia dal salire un'altra volta, ma non si può fare altro: bisogna rischiare.

Comunque salgono a cinque centimetri d'acqua al giorno per il primo periodo.

Quando l'acqua comincia a toccar le quote critiche, la montagna scuote. Rutti, tremiti, vibrazioni... «Alè, se comincia de novo...»

Durante il mese di maggio raddoppiano la velocità: dieci centimetri d'acqua in più al giorno. Sono milioni di metri cubi che entrano ogni giorno. Boati, scosse più forti e più lunghe.

Malumore che cresce tra gli ertani. Le cose non vanno bene tra la diga e i montanari.

Mossa diplomatica, distensiva: la SADE, per bocca del suo dirigente in loco che è ancora Biadene...

«Ma Biadene, adesso non lavora per l'ENEL?» «Ma è anche il rappresentante della SADE.»

Comunque Biadene consegna al comune di Erto le chiavi

della nuova scuola elementare, costruita sotto il monte Toc. Così i pochi bambini che ancora abitano da quella parte del lago non devono più fare la circonvallazione. Quella scuola era finita da un anno e mezzo, ma non davano le chiavi.

«Perché?»

Perché c'era pericolo.

Adesso danno le chiavi. Se io sono il sindaco e mi danno le chiavi, cosa penso? «Vuol dire che non c'è più pericolo. Vuoi che mi facciano aprire una scuola sotto una frana in corso? Se aprono la scuola vuol dire che si è stabilizzato.» In valle si tira un respiro di sollievo. «Se non c'è pericolo, perché diavolo devo mantenere in vigore l'ordinanza di divieto di accesso al lago?» «È maggio, sindaco... Cosa c'è di meglio di una gita in barca?» Se si riapre il lago bisognerà ben aprire le strade di accesso su quelle strade che danno sulla sponda del lago... «È primavera, sindaco... C'è l'erba da falciare, il pascolo.» «Varda i pesci! Belle trote grasse, nel lago, sindaco...» C'è la gente che vuole andare giù a pesca...

E il sindaco fa revocare l'ordinanza.

Quando Biadene e la SADE scoprono che il sindaco di Erto ha revocato l'ordinanza di accesso al lago lo denunciano alla Prefettura e ai Carabinieri.

«Il sindaco di Erto si permette di far aprire al pubblico una zona in noto stato di pericolo.»

«Noto stato di che? E la scuola elementare?»

La scuola elementare? «Siamo in maggio, sindaco... Un mese e la scuola finisce...»

42. Estate

Prima che finisca quell'estate la nuova scuola elementare è inagibile. Completamente lesionata, inutilizzabile per il prossimo anno scolastico. Come tutte la case sotto il Toc: pezzi d'intonaco staccati, crepe un po' dappertutto, le finestre non si chiudono più, neanche le porte, i pozzi si stanno svuotando dell'acqua.

Perché?

Perché la montagna in profondità è ormai tutta spaccata e la nuova sollecitazione la sta portando al collasso.

Dal 27 luglio l'ENEL subentra alla SADE a pieno titolo. Eredita una situazione già compromessa, con una prova d'invaso in atto che dà preoccupazioni. Ma non cambia niente, nemmeno la firma.

Durante il mese di agosto l'ENEL-SADE ha raddoppiato la velocità di riempimento del serbatoio. Riempiono a 20 centimetri di acqua al giorno. E come salgono, accelera la frana, e come accelera la frana, s'intensificano le scosse di terremoto.

Alla fine del mese di agosto del 1963 l'acqua è arrivata a quota 710.

Ancora otto metri e collaudano.

43. Settembre

Ma il 2 settembre il Toc non ne può più e molla una scarica più forte delle altre: settimo grado della scala Mercalli.

Terremoto.

Stavolta la scossa la sentono anche a Longarone.

«La diga!»

«Calma... La diga è antisismica, non sente il terremoto.»

Ma le case di Erto non sono antisismiche. Molte non reggono alla scossa. Viene giù una casa proprio in centro del paese.

«Sindaco: cosa dobbiamo fare?» «Dobbiamo sgomberare la valle?» «Dicci qualcosa, sindaco!» «Fai qualcosa! Vuoi che moriamo come i topi?» La gente protesta...

Il comune di Erto scrive una lettera.

Sarà anche poco, ma è civile: è una bella lettera che si vedrebbe volentieri sul marmo di certe piazze italiane, al posto delle epigrafi a Diaz o a Cadorna. Il comune dice alla ENEL-SADE senza tanti preamboli: «Tu adesso togli da questo comune le cause di pericolo, prima che succedano danni riparabili e non riparabili. Dopo, se vuoi, rimetti in attività il tuo lago...». Gliela mandano il 3 settembre, la lettera.

Poi aspettano la risposta.

Passa il 4. Passa il 5. Passano il 6, il 7 e l'8. Il 9 settembre manca un mese alla fine del mondo e passa anche lui... E poi passano, laconicamente, il 10 e l'11... Il 12 risponde Biadene: *«Non entro in merito alle affermazioni piuttosto azzardate del comune di Erto. La situazione è tenuta sotto controllo dal nostro ufficio locale».*

L'ufficio locale tiene sotto controllo? Mah... Ma l'ufficio

centrale che fa?... L'ufficio centrale il controllo l'ha perso da un pezzo, perché la scossa del 2 settembre ha fatto camminare di molto la frana. Gli ha fatto ancora perdere un equilibrio che era già tanto precario.

C'è un'altra scossetta il 15 settembre: tutta la frana, tutta insieme, fa un saltino avanti di 22 centimetri. È vero che in certi punti, quelli più superficiali, la frana aveva camminato anche per sei metri, però erano sempre settori piccoli, circoscritti. Il 15 settembre viene giù di 22 centimetri tutta quanta. Le 24 lampadine in punta alle paline bianche e rosse, il sistema di rilevazione fanno un salto avanti. Tutte insieme!

«Oh Cristo, la frana del Toc è una sola!»

Quel che nessuno osava immaginare, in valle adesso ce l'hanno sotto gli occhi!

Cammina compatta.

Il nuovo smottamento provoca un'altra tempesta: seconda tempesta di cervelli!

E chi ci va?

I geologi li hanno già licenziati. La Commissione di collaudo non va più al Vajont da un pezzo. Ci vanno gli ingegneri.

Allora il 17 settembre sono lì, alla tempesta di cervelli: ingegneri sotto la frana del Toc, perplessi. E anche spaventati, perdio! Biadene li calma:

«Chiudete i rubinetti».

È vero. Di solito chiudendo i rubinetti, le paratie di riempimento, si ferma la montagna.

Per sette giorni si chiude l'acqua, il livello resta fermo... e gli ingegneri guardano cosa fa la montagna.

Ormai la montagna non si ferma più: slitta 22 millimetri al giorno.

«Cristo! Non si ferma più...»

Gli tocca rinunciare al collaudo.

Il 24 settembre c'è l'ultima riunione. Sono in pochi. Hanno cercato di ottenere consulenza dai geologi, all'Istituto di Bologna. Qualche consiglio... Da Padova... Ma un geologo non è il medico di base: o gli dai gli strumenti per seguire l'evoluzione di una situazione, la sua storia, oppure soltanto un cretino si sbilancia oggi per domani. Eppure gli ingegneri rassicurano l'ENEL. Continuano a riferire ufficialmente che è tutto sotto controllo.

Tutto sotto controllo?

Non sanno più che pesci pigliare!

Tocca a te, ingegnere, decidere. Mi dispiace, Biadene, la situazione è chiara: siamo a quota 710. Ghetti ha detto di non superare i 700. Occorre togliere 10 metri d'acqua dal serbatoio.

Ma non è più così semplice. Da tempo sulle rive del lago avevano piantato tubi. Tubi lunghi che andavano in profondità, usando i fori di perforazione dei carotaggi: fori piezometrici, si chiamano. Servono per veder dov'è arrivata la falda freatica, cioè a che livello arriva l'acqua dentro la terra.

Da qualche giorno trovavano che il livello della falda dentro la montagna era sempre pari al livello del lago.

Come dire che quella montagna ormai è una spugna: è inerte, non trattiene, non ha resistenza elastica.

Questo vuol dire che i termini si invertono. Vuol dire che se tu togli l'acqua adesso, l'effetto è contrario rispetto a prima. Vuol dire che se adesso togli l'acqua va giù tutto, perché è l'acqua che tiene su la montagna. È quell'acqua nella valle che spinge la roccia.

E allora se togli l'acqua dal lago, con la roccia ridotta a spugna, cosa farà la montagna?

Continuerà a scivolare piano piano? O, come a Pontesei, si rimetterà a correre di colpo?

Domandateglielo!

Domandaglielo tu!

Nessuno ha mai parlato così a lungo con una frana, prima di quella del Vajont.

Ma Biadene non è uomo da colloqui solitari con la montagna. Lui è razionale. Dà l'ordine di rimuovere l'ostacolo:

«Togliete l'acqua. Rinunciamo al collaudo».

«Ma ingegnere, è pericoloso...»

«E pericoloso comunque. Togliete l'acqua!»

L'ordine lo ritrasmette il capo cantiere, Pancini, che il giorno dopo parte per le ferie:

«Se vi serve qualcosa; sono in America».

«Buon viaggio, ingegner, el se diverta...»

Dal 27 settembre l'acqua, nel lago, scende 70 centimetri al giorno.

E la montagna?

Dietro!

Be', non proprio 70 centimetri, ma 13 il giorno dopo, 14 il giorno dopo ancora, 15 o 16 l'ultimo giorno di settembre... La progressione è geometrica... La scivolata della frana aumenta man mano che le togli l'acqua sotto i piedi.

44. Ottobre. Primi otto giorni

Son belle giornate i primi di ottobre del 1963.

Gli altri anni di questo periodo lassù è inverno. Quest'anno è piovuto un po' meno. Non ci sono precipitazioni straordinarie in quella settimana e neanche nel mese precedente. Quello che succede il 9 ottobre è il risultato di una gara: riusciranno i nostri eroi a togliere l'acqua dal serbatoio e a portarlo alla quota di sicurezza prima che gli caschi in testa la montagna?

O la montagna li frega?

«Scommesse?... Accettiamo le scommesse!»

70 centimetri al giorno di svaso. Perché 70 centimetri? È una cifra casuale? No, sono la massima capacità di assorbimento della centrale del Colomber posta sotto la diga, che viene messa in funzione perché almeno, durante l'emergenza, l'impianto del Vajont riesca a produrre una parziale copertura dei costi. L'acqua che si toglie quotidianamente nell'emergenza è proporzionata alla capacità di produzione di corrente della centrale!

L'emergenza è in corso. Viene dato l'allarme. Il sindaco di Longarone, Guglielmo Celso, in quei giorni vede le operazioni di svaso rapido e si preoccupa:

«Ma sentite, se siete costretti a togliere tutta l'acqua in un colpo, l'onda che provochereste potrebbe causare danni a Longarone?».

Di questo si preoccupa il sindaco: che ci sia magari la necessità di causare un danno contenuto. E lui vuole sapere cosa fare per contenerlo al minimo. Ma cosa è «massimo», cosa è «minimo», nel momento in cui quello che gli nascondono è un pericolo infinitamente più grande? Non può immaginare che qualcuno stia calcolando un rischio di dimensioni così grandi alle sue spalle, senza avvisar nessuno.

4 ottobre, San Francesco, vacanza... «Meno male: nemo a veder i busi...» Li chiamano così i ragazzini: «i busi».

La strada di circonvallazione del lago, negli ultimi giorni, in qualche punto esce fuori asse anche un metro e mezzo. «Varda, varda là sotto: se move... Se move!»

Non ci possono più andare i veicoli: «La strada è disassata, ingegnere...». «Buttate ghiaia.» Buttano ghiaia per coprire i buchi... finché possono arrivarci col bilico... «Butta ghiaia, va': tanto doman ghe se fessure ancora più grosse.»

Ogni giorno si allargano le fessure sulla strada, nei boschi. «Slitta la montagna! Senti, senti, nemo via...»

«Andiamo via, in fretta...»

«Mi no me movo!».

«Montanaro testa de legno...»

Ci sono quelli che vanno via e quelli che non vogliono andare via. «E le bestie? El latte?» Hanno bestie da quella parte del lago, hanno la stalla. «Andè avanti che mi vegno...» I vecchi sono anche i più incoscienti: è il periodo della raccolta delle patate, non se ne vogliono andare!

E gli operai della diga? Loro hanno più chiara la situazione: non ci vogliono andare sotto il Toc. Ma son costretti a tornare, tutti i giorni, a gettare ghiaia, a rifare consolidamenti che il giorno dopo son di nuovo giù: «Avete l'indennità di rischio, andate a lavorare...». «Ma ingegnere, non c'è più niente da tamponare, vien giù!»

Il 6 ottobre un masso manda una squadra di operai all'ospedale. Due sono gravi, gli altri li medicano e li dimettono. I due gravi son gli unici che si salvano di tutto il cantiere, perché il 9 ottobre sono ancora in ospedale.

Fino all'ultimo giorno non c'è allarme generale. A parte l'evacuazione di chi abita sulla frana, le altre popolazioni vengono rassicurate. «Tutto sotto controllo.»

Eh, ormai alla sera gli operai, giù a Longarone in bar, in osteria, si sfogano. Bevono più del solito... e chiacchierano:

«Oh, se quando vien giù la frana se rompe la diga, addio Longarone...».

«Andé in giro con l'ombrella...»

«Se la diga tien... Addio a Erto!»

È un modo di sfogarsi. Le ragazze della filanda, quelle della segheria, alla sera prima di uscire si salutano: «Chissà se se vedem doman matina...». Ma è un esorcismo. Lo sanno tutti che sta cascando la frana, fa impressione, ma la caduta è controllata. Vengono rassicurati:

«È tutto sotto controllo».

È un rischio calcolato.

Calcolato male. [*Vedi i Documenti in coda al testo*]

45. *9 ottobre. Ultimo giorno*

La mattina del 9 ottobre annuncia un'altra giornata chiara. Chi va a pensare che quello è l'ultimo giorno? Ultimo giorno di che? C'è il sole. D'estate non ce n'è di giornate così, con quei colori. L'autunno certe volte sa essere migliore dell'estate, per camminare in montagna. In una mattina come quella, con quella luce, col sole che tra poco spunta dietro la montagna, vai a scuola? No che non vai a scuola. In una giornata come quella, con quella profondità di campo, se hai otto o nove anni vai a chiamare il tuo amico, uno solo, quello migliore, e via! In marcia, passo robusto ma regolare. Fino in punta al monte Toc, perché dicono che in queste giornate di lassù si vede lontano, lontano... fino alla fine del mondo... Si vede il mare: «Venessia!». E se guardo a destra, sopra Genova, sui forti, ce n'è altri due di ragazzini come noi, che in un giorno così limpido sono andati lassù, perché dicono che di lassù si vede la Corsica... E altri due sopra Lisbona, perché dicono che da lì si vede l'America. Chissà cosa si vede... Però si sente tutto: senti nuotare i pesci, cantare i delfini, senti muggire le balene... «Non so se ce ne sono ancora, di balene...» «Sì! Senti? Questi sono i fili del telegrafo sottomarino che fa New York-Lisbona... Lisbona-Roma... Roma-Venezia... Venezia-Longarone... Longarone-Vajont...»...

...roventi di telefonate.

C'è Biadene che telefona al geologo Penta, a Roma: Penta lo esorta a non fasciarsi la testa prima di essersela rotta! Gli dice che la situazione vista da Roma non gli pare così grave. Ma da Longarone sì. Biadene scrive anche al capo cantiere Pancini: «*Mi spiace doverla far tornare dalle ferie, Pancini, la situazione si è aggravata: oggi la velocità di accelerazione della frana è aumentata del quaranta per cento*». La lettera è battuta a macchina, ma in fondo, a penna, l'ingegnere ci aggiunge: «*Che Dio ce la mandi buona*».

La resa mistica. Comodo. Non c'è più la tecnica, rimane sempre la resa mistica. Alle sei di sera c'è il taxi che lo aspetta come tutte le sere per portarlo a casa, a Venezia.

Chiude il cantiere. Al Vajont di notte resta un geometra,

116

Rittmeyer. Anche lui è di Venezia, sarebbe già comandato di tornare a casa, ma finché non torna l'altro ingegnere dalle ferie in America deve restare al Vajont a dare un'occhiata.

Quando arriva il buio, Rittmeyer fa accendere l'ultima diavoleria veneziana: un faro, roba de mar... Agli ertani sembra che sian tornati i tedeschi a far rastrellamenti. E invece no, la foto elettrica serve a illuminare i pini che nelle ultime ore del 9 ottobre si son messi a camminare, a occhio nudo li vedi che camminano e poi s'inclinano, spossati. L'ultimo giorno hanno tolto un metro e mezzo d'acqua. Sono arrivati a quota 700 virgola 42... Ce l'hanno quasi fatta... Ma Rittmeyer è lì, e vede la montagna che casca, e ha paura, perché lui è proprio sotto la frana. Gli hanno fatto togliere un vetro dalla cabina di controllo e c'è una passerella, praticamente una tavola di legno, che porta a terra, e lì c'è una porta di ferro, nella roccia. Gli hanno detto: «Se casca la montagna correte, correte sulla tavola, infilatevi dentro, nella roccia, e siete salvi». Chissà dove guarda Rittmeyer quando pensa alla gente che abita proprio sotto alla diga... Forse guarda verso le frazioni basse di San Martino, Spesse, Patata, Il Cristo... Si chiamano così questi posti, e adesso si vede ancora qualche luce. C'è gente, se viene un'onda di 30 metri se li mangia, quelli... Ma lui è un geometra, come fa a sgomberarli? Telefona all'ingegnere, a Venezia.

E qui parte la leggenda del Vajont. Dice di una centralinista, la leggenda: la centralinista che ha passato la comunicazione e poi è rimasta in ascolto. Le voci sono concitate... E lei inserisce lo spinotto, per parlare: non c'era ancora teleselezione. S'intromette nella telefonata tra Rittmeyer e Biadene che stanno parlando e chiede:

«Ma signori, cosa dite? C'è pericolo per Longarone?».
«Signora, no, stia tranquilla, dorma ben.»

Rittmeyer, autorizzato da Biadene, chiama i Carabinieri di Erto che per quella notte facciano il giro delle frazioni intorno al lago a dire alla gente di stare attenti.

«Attenti a che? C'è pericolo?»
«No, ma dormite con un occhio solo.»
I Carabinieri di Longarone non hanno ordini, e anche le notizie sono confuse. Così di loro iniziativa fanno chiudere la

strada che da Erto scende a Longarone: nessuno deve salire su quella strada. Un posto di blocco. Anche un ingegnere della SADE da Belluno chiama la Polizia Stradale e i Carabinieri e gli chiede se per cortesia per quella notte possono chiudere la statale di Alemagna. Vengono predisposti posti di blocco a Nord e a Sud, a Tai di Cadore e a Ponte delle Alpi. Con che motivazione?

Non disturbare la frana, credo.

E Longarone?

Longarone è lì. È su quella strada, proprio davanti alla diga. Perché nessuno ha detto niente a Longarone?

Per non creare panico, spero... Non farmi pensare che è per non mandare a monte un affare quasi concluso. Non farmelo pensare... Perché può anche darsi che davvero sono convinti che tutto è sotto controllo. Dev'essere così... I tecnici hanno mogli e figli che dormono lì, con loro, alla diga. Se aspettano la fine del mondo la mandano via, la famiglia.

Li hanno rassicurati che è tutto sotto controllo. Rischio calcolato!

Che ore sono?

Manca pochissimo.

46. *Rangers Glasgow contro Real Madrid 0 a 6*

Adesso è troppo tardi. Come fai a dar l'allarme?

Longarone è pieno così di gente. I bar, pieni. «Cento persone in ogni bar?» Ma certo, perché era un mercoledì: c'era la partita. In Eurovisione: Rangers Glasgow contro Real Madrid. Un partitone. 6 a 0 vinse il Real Madrid quella sera... 6 a 0, un partitone... L'Eurovisione partiva alle dieci di sera in registrata – era una finta diretta, la facevano così. Era sul secondo canale, che a Longarone era arrivato da pochi mesi. Nelle valli intorno non si prendeva, se volevi veder la partita... «Mamma, vado...» «Dove ti va?» «Vado veder la partìa...» «Sta' casa!» «No. Ciao mamma, vado...» File di biciclette e motorini davanti alle osterie, dentro tavoli strapieni, gente che gioca, beve, bestemmia... Un filtro di fumo a tre metri di altezza, là in alto la televisione. Pieno di gente così, a Longarone: la chiamano «piccola Milano» o «capitale del gelato». Tre cinema in funzione. Vuoi trovare una ragazza a passeggio, di sera? A

Longarone vai! Piccola Milano... Piena di vita... C'è il turismo
che passa sulla statale, verso Cortina, e con questa bella sta-
gion che dura, questo anno...

47. Ore 22 e 39

Su in valle, sopra la diga, un silenzio feroce.

L'ultima bava di ragno che teneva unita la frana al resto
della montagna si rompe.
E la frana sta là. Sul piano inclinato. Non c'è più niente che
la tiene attaccata al resto della montagna. E poi va.
Cos'è che la fa andare? Un colpo di tosse? Una ciacola? Un
ronzio? Un ticchettio? Uno starnuto? Un motore?
Non so.
So che 260 milioni di metri cubi di roccia, coste di montagna alte 300 metri, rocciose, con i boschi sopra, con i corsi
d'acqua, con lo stagno, coi campi coltivati, coi pascoli, le vallate, le colline. E le case, con le stalle e le bestie che muggi-
scono impazzite, con altri alla catena che si soffocano pur di
scappare, con gli umani che non li hanno abbandonati... Un
mondo intero, immenso!, fatto a emme, passa, compatto, non
sbriciolato a sassi... Un mondo intero con gli alberi ancora
dritti, passa tutto insieme da 60 centimetri a 100 chilometri al-
l'ora in meno di un minuto.
Una accelerazione di cinque milioni di volte!
Come può farlo?
Rocce frantumate, marne, argille porose imbibite, piene
d'acqua... Tutta quell'acqua evapora per il calore provocato
dallo scivolamento della frana stessa. Forma un cuscino di vapore tra il calcare dolomitico e gli strati rocciosi... Un cuscino
di vapore su cui corre la frana. Si chiama aquaplaning quel fenomeno, è lo stesso che ti fa slittare in autostrada quando cerchi di inchiodare sul bagnato: un cuscino di vapore bollente
che lancia a cento all'ora la frana con attrito zero sul piano di
scivolamento liscio, perfetto. La prima zolla riempie la vallata,
la seconda le si gira sopra, la terza usa le altre due come un
trampolino e sale, sbatte, rimbalza dalla parte opposta della
valle.
Non lo può fare in silenzio.

Tu parli coi superstiti e ti dicono: «Puoi dire quello che vuoi, ma il rumore Quello non lo puoi immaginare... Il rumore... Il rumore».
Tutti i testimoni ti dicono:
«Come fai a parlare di quel rumore?».
Testimone il prete di Casso, don Onorini: «Quel rumore», dice. «E quella luce... Apro la finestra dello studiolo della canonica, vedo i fili dell'alta tensione che viene dall'Austria: le linee elettriche che si spaccano per questo movimento di fiancata di montagna e una specie di arco voltaico che illumina a giorno la vallata. E il bosco che precipita, la valle che si riempie e dalla parte opposta, sempre illuminata a giorno, la frana che corre in salita, di qua, su per la montagna, dall'altra parte della valle, oltre cento metri sopra il vecchio livello del lago. E là si ferma.»
E l'acqua? Dov'è andata l'acqua? Era piena d'acqua questa...
50 milioni di metri cubi d'acqua si sono messi in piedi al centro della valle formando un fungo alto 250 metri. Tutta l'acqua delle Dolomiti par mettersi in piedi, sull'attenti, alta come il campanile del paese. Punta il paese.
C'è lo sperone della roccia sotto il paese di Casso, che sega la colonna d'acqua alla base, e quando l'acqua arriva al paese non ha più forza. Molla uno schiaffo al piano terra della scuola elementare, dove i maestri dormivano al primo piano. Si svegliano per il colpo, il rumore. «Quel rumore...» Mentre gli schizzi di quell'onda ciclopica sfondano il tetto di quasi tutte le case del paese, un masso di 60 chili sfonda il tetto della chiesa: e non lo muovono di là. Ci leggono il Vangelo sopra, ancora adesso, perché dicono che è un miracolo. Perché l'acqua a Casso non ha ammazzato nessuno... E acqua che rotola giù per le strade del paese. La gente è malconcia ma viva!
Oltre il bordo del paese, il mondo non ce n'è più.
Solo questo rumore... E questo odore... Lì sotto non c'è più niente... Solo vampa ghiacciata che vien su, perché l'onda non è finita, si è spaccata in due proprio sotto lo sperone di roccia e adesso si divide: mezza è tornata indietro, rifluisce a spazzolare le sponde della valle...
C'è Erto.
Erto è più bassa. Troppo bassa. Però la valle si allarga e l'onda si abbassa.
Quando arriva a Erto l'onda si è allargata abbastanza da

prender giusto il piano terra delle case. La gente scappa al piano di sopra e si salva. Vede il piano terra che si sfonda, qualcuno tiene in braccio bambini, qualcun altro si aggrappa e riesce a navigare e a salvarsi da questo gorgo maledetto. Si salvano in tanti. Anche i morti al camposanto si salvano per un pelo: vien lambito dall'acqua, il cimitero... Mentre i vivi delle frazioni sotto, che l'aspettavano con un occhio aperto, a quelli gli passano sopra 50 metri d'acqua...

48. Erto e Casso: chi è morto? e chi è vivo?

La mattina dopo è un alba livida.
I giornali dicono così, no?
Un'alba livida.
Cosa vuol dire «alba livida»? Che è in bianco e nero?
Un modo di dire...
Per me alba livida è quando hai preso un fracco di botte la sera prima.... O hai bevuto troppo... Hai le labbra gonfie, le orecchie gonfie, gli occhi gonfi... I sensi gonfi... Oddio, non aprir quella finestra, fammi la carità... Niente luce... Niente sole stamattina.

Questi umani ne hanno prese talmente tante, quella notte, che non possono neanche immaginare di svegliarsi il giorno dopo e di raccontare quel che han visto, quel che han sentito!

Non son mica più gli stessi, no? Son come dei bambini, appena nati. Centosessanta morti nelle frazioni di Erto, dicono... Dopo due anni riescono a contarli.

Ma subito:
«Chi è che è morto?».
«Chi è che è vivo?»

Li portano via dalla valle, per contarli meglio, forse... Per due, tre giorni i soldati, gentili, li caricano sui camion militari, li portano via con le masserizie che gli sono rimaste.

Li portano via per tre anni.

E dietro di loro fanno un muro per impedirgli di tornare. Il muro della vergogna, al passo Sant'Osvaldo. Nessuno lo può varcare: la valle viene chiusa militarmente. Quel muro della vergogna resterà lì per più di trent'anni: inizieranno a demolirlo solo nell'autunno del 1996...

Tre referendum per decidere: dove vuoi andare a vivere?

121

Erto viene ricostruita in pianura, in luoghi chiamati Vajont e Nuova Erto. Nuova Erto fa parte del comune di Ponte alle Alpi, provincia di Belluno. Vajont ha il territorio comunale più piccolo d'Italia, in Provincia di Pordenone.

Due posti, in due province diverse, mentre un gruppo di testardi fa breccia nel muro della vergogna, entra nella valle, ruba corrente all'ENEL e occupa le vecchie case e conquista il diritto di ricominciare a vivere lì, dove tutto si era interrotto: trecento testardi a Erto e cinque a Casso, oggi. Non son paesi facili, si son divisi, non vanno più d'accordo fra loro.

49. *Povera Longaron... Povera Longaron... Povera Longarone...*

L'altra mezza onda è quella che salta la diga. Ora sono soltanto 25 milioni di metri cubi.

Passano la diga verso Longarone: nel punto più alto 230 metri e passa, nel punto più basso un centinaio. Non do i numeri: c'è la roccia incisa a fuoco, scintilla ancora quando piove, e tu vedi il segno di dov'era arrivata l'acqua. La divisione è perfetta, marcata, lucida, precisa... Incide la roccia, l'onda, poi si infossa davanti alla gola, forma un lago. Un lago volante alto 160 metri.

Dove va?

Indietro non può tornare, c'è la diga, di fianco c'è la gola... «Dove andiamo? Andiamo a Longarone», pensa l'acqua.

A Longarone hanno sentito il colpo: «Temporale».

Un attimo dopo va via la luce a mezzo paese: «Cristo! La partita...». «L'altro mezzo paese la luce ce l'ha ancora.» «Ma io non ce l'ho...» «Vado fuori, incazzato ad accendermi la sigaretta e vedo, sopra la diga del Vajont un sbarluccicar... Temporal... Lampo...»

Corto circuito che ancora non finisce... «E un rumore...» Tuono! Temporale!

Ma è un tuono prolungato che fa tremare la terra. Succede a volte in montagna... Succede, che i tuoni vengon giù prolungati dall'eco della valle. «Madonna che temporal, lassù! Me trema anche il terreno sotto i pié...» Luce... Tremìo...

E arriva il vento.

Ma non un vento normale... Perché il vento lo conosci... Quando arriva il vento da pioggia, cosa fa? Dà un colpo, poi smette... Poi ne arriva un altro, poi smette... Poi ne arriva un altro... Guarda i rami: ogni volta che arriva un colpo si piega il ramo, poi torna indietro... Si piega, poi si ferma... Poi ricomincia più forte, si ferma e torna ancora più forte... Il vento per crescere ha bisogno di rifiatare...

Invece questo è un vento strano. Questo è un vento che come incomincia non smette mai. È come se qualcosa soffiasse, e soffia... E aumenta, e come aumenta il rumore... «Quel rumore...»

Questo non è vento: è qualcosa che *fa* vento.

E continua a soffiare fuori dalle gole, e insieme ti porta una polvere bagnata color caffelatte che cava l'aria, che mette un umido... Respiri male... Acqua, acqua, vaporizzata, polverizzata, uno schifo!... E un odore! Un odore da morto come se fosse una cantina scoperchiata e tutto il tanfo del mondo che vien fuori da quella gola! Ma cos'è? Ma neanche fosse un pistone infame, in fondo a quella gola, che spinge avanti tutta l'acqua marcia...

La diga!
Quattro minuti...
«È cascà la dig...»
Quattro minuti da quando l'acqua salta la diga a quando arriva a Longarone... Corre a 80 all'ora dentro quella gola, l'acqua. Irrompe come un treno in corsa, grande come cinquemila treni uno dentro l'altro!

Quattro minuti per decidere come muori o come vivi... «Via, a piedi, su per la montagna, corri, corri...» Via! Quelli che prendono la macchina, quelli che ciapa il motorin... «Aspettami, vigliacco...» Quelli che prendono a piedi su per la montagna, che par che non ce la faranno mai, sono gli unici che si salvano. E trema tutto... «Aspetta, vigliacco!» E cominciano a volar i coppi. Cosa fai?... Quelli che vanno a casa...

«Dove vai tu?»
«Vado a svegliarli...»
Chi svegli?
Dove li metti?
In cantina?
In soffitta?
Sei matto?
E da chi vai?
Dalla morosa... Dai genitori?

Chi devi salvar per primo?

E i genitori: quanti figli? Due a testa... «Via cari, via cari...» Insieme... «E la gatta?» «Va ti.» «No, ti aspetto...» «No, vai tu che sei giovane!» «No, ti aspetto, sbrigati!» «Vai! Cristo!» «Non ce la faccio... Non ce la faccio... Vai tu, vai tu... Corri fuori...»

E intanto s'intorbidisce l'aria... Comincia a tremar la terra, a volare travi, careghe, e spacca le antenne e spacca i rami... È tutto torbido, torbido, torbido... questo rumore... Vento che ti assorda e la terra che ti trema sotto i piedi... E lo capisci che sta arrivando acqua, perché c'è l'odor dell'acqua.

«Da dove arriva che non capisco... Non capisco più niente...»

Come esser sulle rotaie quando arriva un treno... Ti sposti dalle rotaie quando arriva un treno? Lo senti che sta arrivando il treno, è vicinissimo, ma qua non ti puoi togliere... Comunque sei sulle rotaie... E quello che sta arrivando è molto grande... Molto grande: io voglio vivere!

Ci pensa l'aria. All'uscita della gola del Vajont, davanti all'acqua in corsa, ci pensa l'aria a toglierti ogni speranza. Compressa dall'acqua che corre dentro quel binario che adesso è la gola del Vajont raggiunge la forza, la pressione di due bombe atomiche di Hiroshima.

Indumenti
Via la pelle
Via le cavità interne
Animali
Vegetali
Minerali

Quali corpi vuoi trovare in una valle chiusa dopo una bomba atomica?

Vajont è anche questo: mille bare con qualcosa dentro e altre mille senza niente dentro... Mille e non più mille... Perché non c'erano corpi per tutte le bare... Da metterle in terra, o anche chissà dove, a riposare...

Litigavano pur di aver qualcosa nella bara dei loro cari... Perché noi abbiamo bisogno di metter qualcosa nella bara, abbiamo bisogno di attaccarci a un... Ci vuole, da immaginare, che qualcosa c'è, magari seppellito da qualche parte... E non... più niente...

E quel che non ha fatto l'aria micidiale, che ha vaporizzato tutto, come a Stava, dove li ha uccisi quasi tutti l'aria, quel che non ha fatto l'aria lo finisce l'acqua.

Si apre all'uscita del Vajont: un treno in corsa a 80 all'ora esce dalle pareti della gola e perde le sponde. Non c'è più gola che lo costringe... Si apre, si distende... Un Niagara. Il muro d'acqua passa da 70 metri di altezza a 30 solamente, ma con una forza cinetica assassina... Un martello!

Il muro di rimbalzo, alto 30 metri, raccoglie i sassi del Piave, scava un lago nel letto del fiume che resterà lì per dieci anni, resistendo alle piene, prima di riempirsi un'altra volta. Tutte le pietre del Piave a mitragliar le case a Longarone... Su per la montagna, dall'altra parte, contro quelli che stanno scampando, che sentono arrivar l'acqua alle caviglie, alla coscie, alla pancia e poi l'acqua ti sorpassa...

«Adesso muoio...»

Si ferma, l'acqua.

E torna indietro... Ti aggrappi all'erba per non rotolar giù con lei... Ti giri e vedi l'erba piegata e l'acqua che rientra, dentro quella specie di zucchero filato che è il fondo della valle... Nebbia... Torbia... E io... Io sono vivo... L'acqua risale dall'altra parte, la lingua liquida, e mangia un paese... Poi torna indietro, rientra a fondo valle, riemerge da questa parte, lecca dentro un altro paese...

Per due chilometri l'onda del Vajont risale il Piave, per due chilometri controcorrente, quella lingua impazzita che mangia i paesi... Fette di Castellavazzo, fette di Longarone dentro il Piave... Per due chilometri in su, controcorrente... Si è presa Pirago, Rivolta, Villanova, Faè.

Poi ha preso la direzione del mare.

60 chilometri dopo Longarone il muro della piena che corre lungo il Piave è alto a tratti ancora 12 metri.

Per anni sono andato a guardar le cose appese agli alberi ad altezze impressionanti: come diavolo aveva fatto l'acqua ad arrivare lassù? Tutto questo non assomiglia a nient'altro che

abbia percorso il fiume in migliaia di anni della sua storia...
Non è naturale...

Quindici minuti dopo la prima ondata di piena, gli passa
dietro la seconda: quella che era andata in su... Adesso torna
indietro.

E spiana.

Fa tutto liscio.

Come al mare, l'onda di riflusso... Tutto piano, tutto liscio,
tutto dentro...

Una vasca da bagno. Come da bambini... Non capitava anche a te di vergognarti della vasca da bagno che lasciavi? «Ma
ce l'avevo addosso io tutto quello sporco?» Dov'era quel segno, nero, che rimane dove arrivava l'acqua nella vasca? La valle del Vajont è così: bianco e nero... Tutto liscio il fondo della
vasca, solo qualche residuo. Non c'è più niente in piedi, è tutto liscio. E c'è questo bordo dove è arrivata l'acqua. Un bordo
alto anche 20 metri. Un impasto di cose morte e di cose vive.

La vasca da bagno dove si è lavato Dio.

50. Sciacalli

E lì si affacciano i soccorritori il giorno dopo.

*«Più niente da fare o da dire. Cinque paesi, migliaia di persone, ie-
ri c'erano, oggi sono terra e nessuno ha colpa. Nessuno poteva prevedere.»*

«No! Io l'ho scritto: *La* SADE *spadroneggia, ma i montanari si
difendono.»*

«Per piacere... Per piacere! Signora Merlin... Adesso niente
speculazioni politiche... Ci sono i morti!...» *«Un sasso è caduto
in un bicchiere, l'acqua è uscita sulla tovaglia. Non si può dar della
bestia a chi l'ha costruito, il bicchiere era fatto bene, a regola d'arte.»*

«No, mi go scritto: *Una frana di 50 milioni di metri cubi minaccia vita e averi degli abitanti.»*

«Per piacere! Signora Merlin... Ci sono i morti!»

Sciacalli.

Sciacalli.

Sciacalli.

126

«*Sciacalli*» scriveva Montanelli sulla «Domenica del Corriere».

«Sciacalli» ripetevano a lettere cubitali i manifesti sui muri di mezza Italia.

Erano manifesti contro quelli che, come Tina Merlin, osavano mettere in discussione che il Vajont fosse una cosa diversa da una disgrazia.

«Ma ti pare che una cosa come questa si può tener nascosta?»

Be', dimmelo tu!... È un segreto di dominio pubblico... La diga del Vajont è il muro di gomma... Funziona benissimo.

51. *Epilogo*

Io il 10 ottobre andavo in seconda elementare.

Mi sveglio. Mattina sette e mezzo. Mia mamma piange. Non avrà mica già litigato con mio papà alle sette e mezzo del mattino?

Non era a casa mio papà.

Ha fatto il ferroviere tutta la vita, mio papà... Quella mattina era in servizio: corsetta Treviso-Conegliano... Conegliano-Treviso... Lavoratori e studenti... Al ponte della Friula, a Susegana, trova il segnale: rallentamento. Il treno deve andare più piano, a passo d'uomo, perché alle sette e mezza di mattina l'acqua ancora lambisce le arcate del ponte. Il Piave è nero... Riempiva tutto il letto del fiume e portava giù di tutto. Portava giù carcasse di automobili, alberi, animali con la pancia gonfia e le gambe all'aria... Fa paura il Piave... E i bordi del ponte della ferrovia, e quelli della strada, che son lì, affiancati, e le sponde del Piave, sono nere di gente, civili e militari di leva. Girati verso l'acqua, spalla a spalla, ognuno una pertica in mano, di legno, lunga. Venute fuori da dove? Dagli orti? Con quelle pertiche fanno un pettine per fermare i morti che, in mezzo al resto, a decine, vengon giù sul filo della corrente... E altra gente, con i rampini, li allinea sugli argini del fiume. Da ogni paese del Veneto, lungo il Piave, quel giorno, la gente ha mollato la vendemmia.

«Corri a vendemmiar giù in Piave, per questo che è il più grande funerale che mai abbia attraversato questa terra!»
Dopo Caporetto.

Basta.

Tu hai il diritto, anzi il dovere, di fare la tara, di dubitare di tutto quello che ti ho detto. Tanto è solo una storia, tragica. Ma ce ne sono tante, no?
Non devi mica berle tutte...
Però, visto che si può fare, non è così lontano... Una volta nella vita vai a ficcare i piedi là sopra... E poi ritornaci... Prova a smentirmi, metticela tutta... Prova a fartene una ragione... Ma senza fermarti alla diga, perché non si capisce niente alla diga. Vai avanti fino ai paesi. Poi girati indietro, ficcaci i piedi sopra... Se hai coraggio e voglia, parla con qualcuno... E poi leggi, documentati.
Quella che hai sotto i piedi è la seconda più grande frana che sia caduta sul pianeta da quando è apparso l'uomo: la più grossa è caduta in India, nel Pamir, sul tetto del mondo. La seconda nel cuore dell'Europa.
E non è caduta.
È stata provocata.
Gli uomini che l'hanno provocata hanno sempre sostenuto la loro innocenza. Uno di loro si è suicidato alla vigilia del processo. Gli altri hanno lottato, convinti di non aver fatto altro che il loro dovere e di essere incappati in un evento imprevedibile. Come fai ad ammettere che proprio a te debba capitare quel che non è mai capitato prima a un essere umano? Come fai a riconoscerlo prima, in tempo? E anche dopo che è successo, come fai ad ammettere di aver sbagliato? E questo, oltre ad altre più gravi ma umane mancanze, che ha trasformato uomini onesti, tecnici provetti, funzionari mediocri e manager senza scrupoli in una banda di criminali, responsabili morali e materiali di questa tragedia.
Con questo racconto ho provato a indagare anche sulle ragioni degli assassini, per imparare a diffidare di chi oggi appare uomo onesto, tecnico provetto, manager capace. È come se una ferita sulla pelle viva riaprisse un po' di quella sana diffidenza che vorrei comunicare a te, che mi hai seguito fin qui.
E ti ripeto il consiglio.

Con rispetto, ma ficcaci i piedi sopra e prova a fartene una ragione. Se ci riesci. E poi... Poi magari raccontala anche tu, questa storia, come vuoi tu...

Nota

Le quote dell'acqua nel lago e l'altezza della diga sono stranamente variabili a seconda dei testi consultati. Abbiamo convenuto di ritenere più attendibili le fonti ENEL-SADE che indicano per l'altezza della diga metri 721,60 e non 726 come da altri testi indicato; e la quota d'acqua al massimo invaso metri 715 s.l.m. e non 720 come in altri testi indicato. Pertanto, rispetto alla prima edizione, queste quote sono state uniformate alle quote indicate nelle fonti ENEL-SADE.

TELEGRAMMA ENEL-SADE

Venezia ore 12 del giorno 8/10
Urgente al Sindaco di ERTO
Acceleramento movimento franoso zona TOC sinistra serbatoio
Vajont rende necessario sgombero delle persone. Segnaliamo quanto so-
pra interessato provvedere urgentemente sgombero et divieto perma-
nenza persone zona sopra indicata.
Divieto accesso tutto serbatoio sotto quota 730 (settecentotrenta) et
transito strada sponda sinistra Vajont fra COSTA GERVASIO e LO-
CALITA' PINEDA et diga sbarramento.

La risposta del comune di Erto non si fa attendere. Viene
affissa in giornata lungo tutta la valle.

COMUNE DI ERTO CASSO
AVVISO DI PERICOLO CONTINUATO

Si porta a conoscenza della popolazione che gli uffici tecnici dell'E-
NEL-SADE segnalano la instabilità delle falde del monte TOC e per-
tanto è prudente allontanarsi dalla zona che va da COSTA GERVA-
SIO alla PINEDA.
La gente di Casso in modo particolare si premuri di approfittare
dei mezzi dell'ENEL-SADE per sgomberare la zona... e siccome le frane
del TOC potrebbero sollevare ondate paurose su tutto il lago si avver-
te ancora tutta la gente che è estremamente pericoloso scendere sulle
sponde del lago; le ondate possono salire per decine di metri e travol-
gere, annegando anche il più esperto dei nuotatori.
Chi non ubbidisce ai presenti consigli mette a repentaglio la pro-
pria vita.
Erto e Casso lì 8/10/1963

APPENDICE
Una frana annunciata
di Francesco Niccolini

ASC	ODOARDO ASCARI, *Una arringa per Longarone*, Castaldi, Feltre 1973
CM	Commissione Ministeriale: MINISTERO DEI LAVORI PUBBLICI, *Commissione d'inchiesta sulla sciagura del Vajont*, Relazione al Ministero dei Lavori Pubblici, 15 gennaio 1964
CP	Commissione Parlamentare: SENATO DELLA REPUBBLICA, IV legislatura, *Commissione Parlamentare d'inchiesta sul disastro del Vajont* (Legge 22 maggio 1964, n. 370). Relazione finale, 15 luglio 1965, Roma 1965
CP A1	*Idem*, allegato 1. Relazione di minoranza degli onorevoli Busetto, Vianello, Gaiani, Lizzero, Scoccimarro, Gianquinto, Vidali e Alicata
PAS	MARIO PASSI, *Morire sul Vajont. Storia di una tragedia italiana*, Marsilio, Padova 1968
MERL	TINA MERLIN, *Vajont 1963. La costruzione di una catastrofe*, Il Cardo, Venezia 1993, riedizione di *Sulla pelle viva. Come si costruisce una catastrofe. Il caso Vajont*, La Pietra, Milano 1983
SGI	*Sentenza del Giudice Istruttore Mario Fabbri*, Tribunale di Belluno, n. 85-64 G.I., 20.2.1968
REB	MAURIZIO REBERSCHAK, *Il Grande Vajont*, Cierre Edizioni, Verona 2003

Nessuno scivolamento si produce da un minuto all'altro. Tale comporta-
mento è impossibile per una montagna. Ogni scivolamento deve esordire
in maniera lentissima. La gravità mette il fenomeno in movimento, la coe-
sione e l'attrito frenano il movimento. Più grande è la massa che sta per
cadere, maggiore è il tempo necessario per l'avvio dello scivolamento. Per i
grandissimi scivolamenti la preparazione può durare decine oppure cen-
tinaia di anni. Anzitutto deve essere raggiunto l'equilibrio tra le forze
gravitazionali dirette verso il basso da una parte e le forze resistenti dal-
l'altra, ma anche a questo punto numerosi «fili» devono ancora essere rot-
ti perché la gravità prevalga. E tutto ciò si protrae per un certo tempo e per
un certo numero di giorni; i «fili» rimasti saranno rotti uno dopo l'altro
finché la massa non precipita in qualche minuto con grande accelerazio-
ne verso valle.

prof. Albert Heim, 1932

1928

4 agosto Prima relazione del professor Giorgio Dal Piaz per la progettazione di un bacino artificiale: «Le condizioni strutturali dell'intera conca del Vajont, per quanto l'apparenza possa trarre nell'inganno, in sostanza non sono peggiori di quelle che si riscontrano nella grande maggioranza dei bacini montani dell'intera regione veneta» (CM 42).

1929

30 gennaio La Società Idroelettrica Veneta chiede la concessione di derivazione del torrente Vajont per la produzione di energia elettrica, corredata dal progetto dell'ingegner Carlo Semenza.

1937

9 agosto   Relazione geologica Dal Piaz.

1940

5 giugno   Relazione geologica Dal Piaz.

22 giugno   La Società Adriatica di Elettricità (SADE) chiede l'autorizzazione per utilizzare i deflussi del Piave, degli affluenti Boite, Vajont e altri minori, nonché la costruzione di un serbatoio della capacità di 50 milioni di metri cubi creato mediante la costruzione nel Vajont, presso il ponte del Colomber, di una diga alta 200 metri.

1943

15 ottobre   Voto favorevole del Consiglio Superiore dei Lavori Pubblici: alla riunione partecipano 13 componenti su 34, dunque senza che venga raggiunto il numero legale (CP A1 7).

1948

24 marzo   Decreto Presidente della Repubblica di concessione.

25 marzo   Relazione Dal Piaz: «I numerosi sopralluoghi effettuati in sito, i sondaggi e i cunicoli eseguiti avevano confermato che la diga, nella sezione prescelta, veniva ad impostare per tutta la sua altezza e, cioè, fino al nuovo livello massimo assegnatole [202 m, *n.d.r.*], nella zona in cui la roccia, generalmente ottima, si presentava, nel suo complesso, più compatta» (CM 48).

15 maggio   La SADE presenta domanda di variante per l'utilizzazione dei deflussi di Piave, Boite e Vajont per la costruzione di un serbatoio di 58 milioni di metri cubi.

11 ottobre   Lettera di Semenza a Dal Piaz: «Si tratterebbe ora di esaminare la possibilità di elevare il livello del serbatoio oltre la quota attualmente prevista (677), eventualmente fin verso la 730. [...] Gradirei anche qui il suo parere» (SGI 76).

15 ottobre   Lettera di Dal Piaz a Semenza: «Le confesso che i nuovi problemi prospettati mi fanno tremare le vene e i polsi» (SGI 76).

21 dicembre   Relazione geologica Dal Piaz: «La struttura geologica della Valle del Vajont agli effetti degli smottamenti dei fianchi che possono derivare dal progettato invaso e dalle oscillazioni del livello del lago». L'attenzione è posta in particolare alla zona di Erto e a quella di Pineda che presentano materiali detritici di dubbia stabilità. Dal Piaz sostiene che, pur non escludendo la possibilità di smottamenti, si tratti di frane meno ingenti di quanto si può sospettare a prima impressione (CM 42-3).

1949
23 gennaio Il Consiglio Comunale di Erto-Casso ratifica la vendita alla SADE dei terreni situati in Val Vajont di proprietà comunale per la somma di lire 3.500.000, ad un prezzo di lire 3,94 al metro quadrato, da vincolare in titoli di stato al Ministero dell'Agricoltura e Foreste, trattandosi di terreni sottoposti a usi civici. Per un errore catastale il comune vende anche terreni di proprietà privata. Quando si tratta di versare al Ministero dell'Agricoltura e delle Finanze i 3.500.000, il comune li ha già spesi, compresi quelli che deve restituire alla SADE per la vendita dei terreni non suoi. La SADE anticipa la somma al comune, da scomputare dai canoni per i diritti rivieraschi in conseguenza dell'uso dell'acqua del torrente (MERL 32-33). Nei mesi seguenti comincia la trattativa tra la SADE e i proprietari privati per l'acquisto dei terreni non comunali.

1952
18 marzo La SADE si impegna a costruire sul lago una passerella per riallacciare le comunicazioni con la sponda sinistra della valle, interrotte dal bacino.
18 dicembre Decreto Presidente della Repubblica di concessione relativo alla variante del 15.5.1948.

1953
18 novembre Appendice alla relazione geologica Dal Piaz del 21.12.1948.

1957
gennaio La SADE, senza autorizzazione, inizia i lavori di scavo.
31 gennaio La SADE inoltra la domanda per modificare il progetto della diga, portandone l'altezza a 266 metri, allegando la relazione geologica di Dal Piaz del 25.3.1948 e un'appendice datata 31.1.1957.
6 febbraio Lettera di Dal Piaz a Semenza: «Ho tentato di stendere la dichiarazione per l'alto Vajont, ma Le confesso sinceramente che non m'è riuscita bene e non mi soddisfa. Abbia la cortesia di mandarmi il testo di quella ch'Ella mi ha esposto a voce, che mi pareva molto felice. La prego inoltre di dirmi se devo mettere

l'intestazione dell'Ente al quale deve essere indirizzata, e se devo mettere la data d'ora o arretrata. Appena avrò la sua edizione la farò dattilografare e Le farò immediatamente invio. Scusi il disturbo» (SGI 82).

7 febbraio Risposta di Semenza a Dal Piaz: «Le allego copia del testo al quale Ella secondo me potrebbe in linea di massima attenersi. Ho lasciato punteggiata una frase che, se Ella crede, potrebbe mettere per illustrare le condizioni delle note cuciture fra strato e strato. L'appendice dovrebbe avere l'intestazione e la data che ho indicato nell'appunto. In ogni modo Le lascio ogni più ampia libertà. [...] A guadagno di tempo, sarebbe meglio che Ella ci consegnasse la relazione già stesa da Lei firmata» (SGI 82). La data che Semenza indica nell'appunto è il 31.1.1957.

1° aprile L'ingegner Bertolissi viene nominato dal Genio Civile assistente governativo per la diga del Vajont: il suo compito è quello di seguire in modo permanente i lavori del cantiere e riferirne regolarmente al Genio Civile e al Servizio Dighe.

2 aprile La SADE presenta il progetto esecutivo, a firma dell'ingegner Carlo Semenza, con aumento dell'altezza della diga da 202 a 266 metri e conseguente aumento della capacità utile del serbatoio a 150 milioni di metri cubi: costo previsto 15 miliardi di lire, con un contributo governativo di 4 miliardi e 805 milioni.

17 aprile La IV sezione del Consiglio Superiore Lavori Pubblici autorizza l'inizio dei lavori, che la SADE ha già avviato dal gennaio.

31 maggio Il Servizio Dighe chiede una relazione geologica adeguata al nuovo progetto.

11 giugno Dal Piaz invia a Semenza il manoscritto della relazione geologica, con un appunto: «Spero che il mio scritto risponda ai suoi desideri e che non ci sia bisogno di modificazioni di fondo. La prego di rimandarmi con suo comodo il manoscritto con le sue osservazioni, delle quali non mancherò di tener conto come di consueto» (CP A1 8).

14 giugno Lettera di risposta di Semenza a Dal Piaz: «Le ritorno la bozza della relazione che, previo soltanto due o tre varianti di scarsa importanza, ho fatto ribattere in bozza, pensando di fare cosa utile anche a lei prima della stesura definitiva» (CP A1 9).

15 giugno Voto favorevole dell'Assemblea plenaria del Consiglio Superiore dei Lavori Pubblici, con una prescrizione: «È però necessario completarle [le indagini geologiche] nei riguardi della sicurezza degli abitanti e delle opere pubbliche, che verranno a trovarsi in prossimità del massimo invaso» (CM 49). In altre parole si approva un progetto constatando che per affrontare lo stesso è indispensabile procedere a ulteriori indagini. È presente Carlo Semenza, che porta con sé la minuta della relazione geologica di Dal Piaz.

6 agosto rapporto geotecnico di Leopold Müller (il secondo che gli commissiona la SADE): «...il terreno in sponda sinistra, caratterizzato da ammassi di sfasciume, sui cui verdi pascoli sorgono numerosi casolari è in forte pericolo di frana, sebbene sia una formazione rocciosa. La roccia è ivi molto fratturata e degradata e può pertanto facilmente scoscendere ed essere posta in movimento» (ASC 57).

25 settembre La SADE invia al Ministero la versione ufficiale della relazione geologica presentata in bozza il 9.6.1957.

1958

12 febbraio La SADE comunica al Servizio Dighe di aver preso visione del voto con la richiesta di ulteriori perizie e formula le sue osservazioni in merito ai rilievi, suggerimenti e raccomandazioni. Nel testo nessun riferimento alla richiesta delle nuove indagini. Né il Servizio Dighe né il Genio Civile rilevano tale lacuna.

1° aprile Viene nominata la Commissione di collaudo. Di essa fanno parte Francesco Penta, geologo; Francesco Sensidoni, ingegnere capo del Servizio Dighe; Pietro Frosini, ingegnere, presidente della IV sezione del Consiglio Superiore Lavori Pubblici, che aveva proposto al Consiglio Superiore l'approvazione del progetto; Luigi Greco, presidente del Consiglio Superiore Lavori Pubblici, che aveva approvato il progetto. Il Regolamento sui lavori di competenza del Ministero dei Lavori Pubblici (art. 92, ultimo comma, 25.5.1895 e art. 122 del 23.5.1924) vieta espressamente che possa essere nominato collaudatore né far parte di commissione di collaudo chi abbia preso parte alla redazione del progetto da collaudare. Alla lettera, Frosini e Greco non hanno *redatto* il progetto della diga del Vajont, bensì lo hanno *approvato*. È chiaro comunque che vengono chiamati a svolgere il ruolo di controllori due di coloro che hanno partecipato alla formazione dell'atto da controllare. Francesco Penta è inoltre consulente privato della SADE per l'impianto di Pontesei a Forno di Zoldo (MER 59).

22 aprile Autorizzazione provvisoria del Genio Civile di Belluno alla SADE a iniziare i getti di calcestruzzo.

24 aprile La SADE sottoscrive le condizioni dettate dal voto del 15.6.1957, dunque impegnandosi anche alle indagini geologiche suppletive.

25 agosto Liquidazione del primo contributo del Ministero dei Lavori Pubblici alla SADE.

3 ottobre Viene concesso alla SADE di sostituire la passerella prevista nel 1952 sul bacino con una strada perimetrale lungo tutta la sponda sinistra del bacino: alle proteste degli erto-cassani che preferivano la passerella, «la SADE risponde che non si può, che la natura del terreno non permette la costruzione dell'opera» (MERL 49).

29 ottobre Nuova relazione Dal Piaz, riferita al tracciato della strada perimetrale sulla sinistra del Vajont. In essa si osserva l'esistenza, in località Pozza, di roccia fratturata e si suppone che possano esservi in profondità fessurazioni parallele alla valle. Dal Piaz conclude però sostenendo che mancano «segni superficiali per i quali si potesse parlare di avvenuti movimenti» (CM 58).

1959

7 marzo Liquidazione del secondo contributo del Ministero dei Lavori Pubblici alla SADE.

22 marzo Frana di Pontesei: 3 milioni di metri cubi di roccia cadono nell'invaso costruito dalla SADE. Muore l'operaio Arcangelo Tiziani. Consulente geologico dell'impianto è Francesco Penta, che fa parte della Commissione di collaudo per la diga del Vajont.

23 marzo Lettera del geologo Pietro Caloi (che sta studiando la zona della diga dal 1953) all'ingegner Tonini, a proposito della frana di Pontesei: «...ti prego di rileggere la relazione che al riguardo ti ho inviato ai primi di luglio 1958: ciò che è avvenuto vi è previsto con esattezza sconcertante» (ASC 33).

27 marzo Caloi, sempre a proposito della frana di Pontesei e della sua prevedibilità, scrive all'ingegnere Rossi-Leidi: «Rassicuri pure l'ing. Biadene: la discrezione è nel mio costume. Piuttosto, se mi posso permettere un consiglio, suggerirei di trarre le naturali conseguenze dal fatto.» (ASC 33).

3 maggio Costituzione del Consorzio civile per la rinascita della valle ertana, fondato da 126 cittadini di Erto e Casso.

5 maggio Appare su «l'Unità» un articolo a firma di Tina Merlin dal titolo *La* SADE *spadroneggia ma i montanari si difendono*. La Merlin denuncia le responsabilità della SADE e segnala i pericoli cui la costruzione del bacino espone gli abitanti di Erto. L'articolo costa alla Merlin e al direttore de «l'Unità» la comparsa in giudizio «per diffusione di notizie false, esagerate, tendenziose, capaci di turbare l'ordine pubblico» (CP A1 16).

30 maggio Decreto di concessione relativo al progetto del 1957.

19-21 luglio Primo sopralluogo della Commissione di collaudo, che viene portata anche a Cortina d'Ampezzo e a Venezia, a cena sulla terrazza dell'albergo Europa. Del sopralluogo, l'ingegner Sensidoni deve presentare una relazione al Consiglio Superiore dei Lavori Pubblici: «Ma del Vajont, tra paesaggi, pranzi e cene, si ricorda poco. Per essere più sicuro la chiede alla SADE, che gliela manda. Gliela invia il Direttore dell'Ufficio studi, Dino Tonini» (MERL 61).

23 luglio Il capo del Genio civile di Belluno, ingegner Desidera, che ha appena imposto alla SADE la sospensione dei lavori di costruzione della strada di circonvallazione sulla sinistra del Vajont (in quanto la società non ha presentato il relativo progetto al Genio Civile), viene trasferito in altra sede con lettera urgentissima firmata dal Ministro dei Lavori Pubblici.

settembre La costruzione della diga è ultimata: 261,60 metri di altezza; 190,15 metri di lunghezza al coronamento; 725,50 metri di quota del coronamento; 22,11 metri di spessore alla base; 3,40 metri di spessore alla sommità; 168 metri di corda in sommità; 360.000 metri cubi di calcestruzzo e 400.000 metri cubi di roccia asportata.

ottobre La SADE incarica il professor Caloi di condurre una campagna geofisica sul versante sinistro a monte della diga.

10 ottobre Sesto rapporto geologico di Leopold Müller: i suoi dubbi sulla stabilità della sponda sinistra sono tali che propone alla SADE di saggiare la stabilità dei fianchi del futuro serbatoio attraverso dieci diversi tipi di indagine.

22 ottobre Secondo sopralluogo della Commissione di collaudo.

28 ottobre La SADE avanza domanda di invaso sperimentale, fino a quota 600 metri.

dicembre Viene installata presso i comandi centralizzati della diga una stazione sismica definita da Caloi «unica al mondo» (CM 64).

2 dicembre Crolla la diga del Frejus. Semenza scrive a Dal Piaz: «Spero di vederla presto anche per riparlare del Vajont che il disastro del Frejus rende più che mai di acuta attualità» (MERL 63).

1960

4 febbraio Caloi consegna la sua relazione, che parla di «un potente supporto roccioso autoctono» (SGI 162), dunque di una roccia solida e compatta, dall'elevatissimo modulo elastico, con uno spessore del detrito superficiale di 10-12 metri. La relazione viene consegnata agli organi di controllo.

9 febbraio Il Servizio Dighe (ingegner Frosini) concede alla SADE l'autorizzazione per un invaso sperimentale fino a quota 595 (comunicazione da parte del Genio Civile di Belluno del 16.2.1960): la SADE aveva già iniziato a immettere acqua il 2 (SGI 98).

marzo In concomitanza con il primo invaso si verifica una frana che si stacca dalla parete del Monte Toc, immediatamente sovrastante il fondovalle e poco a monte dello sbocco del rio Massalezza.

maggio Vengono installati i primi capisaldi destinati a identificare eventuali moti franosi del Toc.

10 maggio La SADE, dati i risultati positivi del primo invaso sperimentale, chiede di poter elevare direttamente il livello dell'acqua fino a quota 660, senza prima aver svasato.

giugno Relazione geologica di Franco Giudici e Edoardo Semenza, figlio di Carlo (commissionata dalla SADE su indicazione di Leopold Müller): dopo avere elencato una serie di rischi minori, la relazione afferma che «più grave sarebbe il fenomeno che potrebbe verificarsi qualora il piano d'appoggio della intera massa e della sua parte più vicina al lago fosse inclinato (anche debolmente) o presentasse un'apprezzabile componente di inclinazione verso il lago stesso. In questo caso il movimento potrebbe essere riattivato dalla presenza dell'acqua, con conseguenze difficilmente valutabili, attualmente, e variabili tra l'altro a secondo dell'andamento complessivo del piano d'appoggio» (ASC 38-9). La relazione Giudici-Semenza non verrà mai inviata agli organi di controllo. Viceversa, prima che la relazione venga consegnata ufficialmente alla SADE, viene visionata da Carlo Semenza, che scrive al figlio: «Carissimo Edo, riteniamo indispensabile che tu mostri preventivamente la relazione al Prof. Dal Piaz, al quale preannuncio la cosa con la lettera che ti allego in copia. Se anche dovrai a seguito del colloquio attenuare qualche tua affermazione, non cascherà il mondo» (lettera di Carlo Semenza a Edoardo del 24.5.1969, ASC 38). E a Dal Piaz: «Egregio Professore ho piacere che lei la veda [la relazione]. Anche se ci saranno eventuali sfumature di opinioni, poco male: resterebbero sempre sotto la responsabilità di mio figlio, se Ella riterrà opportuno che egli firmi la relazione» (*ibidem*).

11 giugno Il Servizio Dighe concede l'autorizzazione a proseguire l'invaso fino a quota 660 (comunicazione del 22.6.1960).

9 luglio Relazione Dal Piaz sugli smottamenti: «Non può escludersi che questi smantellamenti dell'orlo esterno del ripiano non possano concorrere a dare alla superficie valliva sottostante un andamento sempre meno ripido, raggiungendo gradualmente [...] il profilo di equilibrio» (CM 68). Ciononostante, anche Dal Piaz consiglia una «sistematica sorveglianza» (*ibidem*).

4 novembre Una frana di 700.000 metri cubi di roccia si stacca dalla parete del Toc e cade nel bacino. In contemporanea alla frana, compare, sul Toc, sul versante sinistro della valle, una fessura lunga 2500 metri, a forma di M: è il profilo della frana del 9 ottobre 1963. Dopo la frana, Edoardo Semenza continua le sue indagini. Al Giudice Istruttore Fabbri dirà: «In conclusione ritenevo che la massa instabile avesse una fronte di circa due chilometri di lunghezza, un volume di circa 250 milioni di metri cubi e spessori variabili da 100 a 250 metri in media. Queste mie conclusioni comunicai a voce sul posto (Vajont) al Prof. Müller che le prese per buone, facendo poi approfondire studi di dettagli sulle fessure e sui movimenti manifestatisi. Ciò avveniva in una o due riunioni del novembre 1960» (ASC 39-40).

15-16 novembre Riunione di tutti i tecnici SADE presso il cantiere del Vajont: Leopold Müller, Semenza, Pancini (capocantiere), Linari, Ruol, Biadene; si decide lo svaso e la costruzione di una galleria di sorpasso (by-pass) che colleghi, in caso di caduta della frana, i due bacini risultanti. Spesa prevista: un miliardo di lire.

17 novembre Inizia lo svaso, fino a 600 metri, raggiunti il 31 dicembre.

28 novembre Terzo sopralluogo della Commissione di collaudo.

30 novembre A Milano si apre il processo contro Tina Merlin e «l'Unità»: tre testimoni di Erto e le fotografie della frana del 4 novembre fanno desistere la parte denunciante a deporre. Il processo si chiude con l'assoluzione della Merlin e de «l'Unità» perché, recita la sentenza, nell'articolo incriminato «nulla vi è di falso, di esagerato o di tendenzioso» (MERL 75-6).

dicembre Inizia la seconda campagna geosismica di Caloi. Caloi e Müller non vengono mai fatti incontrare tra di loro, né sono a conoscenza dei reciproci studi (ASC 72).

1° dicembre Promemoria del professor Penta: «Una tra le numerose fenditure, lunga circa 2500 metri, ha fatto sorgere i maggiori timori, in quanto può essere interpretata come l'intersezione con il terreno di una superficie di rottura profonda e che arriverebbe praticamente fino al fondo valle, separando dalla montagna una enorme massa di materiale. [...] Prima di accedere a tale interpretazione catastrofica», Penta osserva che i dati a disposizione «sono relativi a manifestazioni di superficie, ma non si hanno elementi per giudicare se il fenomeno si estenda in profondità e se sia veramente in atto un movimento di massa. [...] Il movimento potrebbe essere limitato al massimo a una coltre dello spessore di 10-20 metri, con velocità molto basse, e comunque, non coinvolgerebbe masse di materiali tali da decidere non solo della vita del serbatoio, ma anche del pericolo di sollecitazioni anormali sulla diga. [...] Nell'altro caso, si dovrebbe ammettere la possibilità di un improvviso distacco di una massa enorme di terreno (suolo e sottosuolo)» (CP A1 13).

1961

1° gennaio Inizio della costruzione della galleria di sorpasso, tra quota 624 e 614.

7 gennaio Il Genio Civile di Belluno, su incarico del Servizio Dighe, richiede ufficialmente alla SADE indagini sulla fenditura al fine di stabilire se si tratti di una rottura profonda o superficiale.

10 gennaio Il Genio Civile di Belluno incarica l'assistente governativo di informare settimanalmente sul movimento franoso e sul comportamento della diga.

31 gennaio La SADE commissiona al CIM, Centro Modelli Idraulici di Nove di Fadalto (Vittorio Veneto) un modello del bacino di Vajont e della diga in scala 1:200, al fine di valutare l'entità di onde provocate da frane che si verifichino dentro il bacino. Il CIM è un centro studi SADE affidato all'Istituto di Idraulica dell'Università di Padova. Secondo statuto, il CIM deve costruire e sperimentare «grandi modelli idraulici di impianti in esercizio o in costruzione da parte della SADE». Nel Comitato direttivo del Centro Modelli Idraulici di Nove, accanto ai professori Augusto Ghetti e Francesco Marzolo, dell'Istituto di Idraulica, vi sono quattro rappresentanti della SADE: il responsabile dell'Ufficio studi, ingegner Tonini, e gli ingegneri Indri, Sestini e il fratello dello stesso Ghetti (PAS 36).

2 febbraio Al Consiglio provinciale di Belluno, i gruppi comunista e socialista presentano un'interpellanza sulle misure da richiedersi «per scongiurare il pericolo che sovrasta la popolazione di Erto, Longarone e paesi limitrofi». Viene accolta la proposta di incaricare un geologo di fiducia dell'Amministrazione di provvedere a nuove indagini. Il Presidente della Provincia, Alessandro Da Borso, chiede la collaborazione del suo collega di Udine, essendo il comune di Erto in provincia del capoluogo friulano. La risposta, che egli riferisce nel Consiglio provinciale del 13 febbraio è: «La provincia di Udine si disinteressa completamente di quella questione che non la riguarda» (MERL 73-4).

3 febbraio Quindicesimo rapporto geologico di Müller sulla frana del Toc. Müller parla di due differenti frane, una a est e una a ovest del torrente Massalezza. Diverse le interpretazioni di questa doppia frana: per Edoardo Semenza si tratta di una frana unica che Müller divide «in porzioni tipografiche unicamente per comodità d'esposizione» (ASC 40); per gli ingegneri della SADE si tratta di due distinte frane. Le conclusioni cui giunge Müller sono senza speranze per l'intero impianto: «A mio parere non possono esistere dubbi su questa profonda giacitura del piano di slittamento o della zona limite. Il volume della massa di frana deve essere quindi considerato di circa 200 milioni di metri cubi» (CP A1 12). Secondo Müller le contromisure sono ormai irrealizzabili sul piano pratico, umano ed economico. La sola misura di sicurezza possibile e percorribile è l'abbandono del progetto: «Alla domanda se questi franamenti possono venire arrestati mediante misure artificiali, deve essere risposto negativamente in linea generale; anche se, in linea teorica, si dovesse rinunciare all'esercizio del serbatoio, una frana talmente grande, dopo essersi mossa una volta, non tornerebbe tanto presto all'arresto assoluto» (CP A1 13). La relazione Müller non verrà mai inviata agli organi di controllo.

13 febbraio Nella seduta del Consiglio provinciale di Belluno, viene votato all'unanimità un ordine del giorno in cui si dà mandato alla Giunta di prendere contatti con i Ministri competenti per predisporre tempestivamente tutte le misure di sicurezza per garantire l'incolumità delle popolazioni nella zona del bacino del Vajont.

21 febbraio Nuovo articolo di Tina Merlin su «l'Unità» dal titolo *Mentre si lascia alla* SADE *la possibilità di sottrarsi agli obblighi di legge, una enorme massa di 50 milioni di metri cubi minaccia la vita e gli averi degli abitanti di Erto.*

10 aprile Relazione Caloi: rispetto alla precedente relazione del 1959-60, secondo Caloi la roccia si è frantumata, con un enorme decadimento delle proprietà elastiche della roccia del versante sinistro, che da solido e compatto, nel giro di un solo anno, sarebbe divenuto minutamente fratturato: un fenomeno senza precedenti nella letteratura tecnica, a detta dello stesso Caloi.

Quarta visita della Commissione di collaudo, in base alla quale Penta e Sensidoni dichiarano che gli spostamenti sul fianco sinistro sono andati attenuandosi fino ad annullarsi e che non è da temere un serio aggravamento della situazione per un aumento del livello del lago (CM 104).

15 aprile Visita di Penta al bacino, mentre l'acqua è sotto quota 600 e si sta procedendo alla costruzione del by-pass. La situazione è tranquilla: «È da ritenere pertanto che nelle condizioni attuali e sempre che il livello del lago si mantenga attorno alle quote attuali non sussistano immediati pericoli» (ASC 49).

20 aprile Lettera di Carlo Semenza all'ingegner Vincenzo Ferniani: «Ella può immaginare il mio stato d'animo in questa situazione. [...] Dopo l'abbassamento del livello del serbatoio, probabilmente anche a causa del freddo sopravvenuto, i movimenti sul fianco sinistro si sono praticamente arrestati e credo che fino a che il livello sarà tenuto basso non sarà il caso di avere nuove preoccupazioni. Ma cosa succederà col nuovo invaso? [...] Non le nascondo che il problema di queste frane mi sta preoccupando da mesi: le cose sono probabilmente più grandi di noi e non ci sono provvedimenti pratici adeguati. [...] I professori Dal Piaz e Penta sono piuttosto ottimisti: tendono a non credere che avvenga uno scivolamento in grande massa e sperano (anch'io lo spero!) che la parte mossa si sieda su se stessa. Sono entrambi d'accordo su ogni provvedimento di sicurezza. [...] Dopo tanti lavori fortunati e tante costruzioni anche imponenti, mi trovo veramente di fronte a una cosa che per le sue dimensioni mi sembra sfuggire dalle nostre mani» (CP A1 14-5).

5 maggio Alle interrogazioni del Presidente del Consiglio provinciale di Belluno, avvocato Da Borso, risponde Benigno Zaccagnini, ministro dei Lavori Pubblici, che parlando della frana del 4.11.1960 sostiene che si tratta di «roccia continua, omogenea e di sicura stabilità» (CP A1 17). Il Ministro rassicura Da Borso scrivendogli che «in linea generale mi pare che quel terreno stia fermo e possa dar luogo solo a frane superficiali del materiale di riporto» (CP 77). Tutt'altro che rassicurato, Da Borso decide di andare personalmente a Roma per ottenere maggior chiarezza. Al ritorno a Belluno «è costretto a confessare che a Roma è come battere la testa contro un muro perché "la SADE è uno stato nello stato"» (MERL 80 e 87).

10 maggio La galleria di sorpasso è ultimata. La SADE domanda l'autorizzazione a riprendere l'invaso sperimentale e proseguire fino a quota 660.

19 luglio Lettera dell'ingegnere SADE professor Indri al professor Augusto Ghetti dell'Istituto di Idraulica dell'Università di Padova e responsabile della ricerca commissionata dalla SADE al CIM di Nove. Nella lettera vengono specificati i criteri con cui devono essere condotte le prove sul modello. La SADE vuole difatti conoscere l'entità dell'onda creata dal crollo di una frana, dell'ordine di 20-40 milioni di metri cubi, con invaso a quote comprese tra i 680 ed i 720 m. slm. Le prove prevedono che, secondo l'interpretazione degli ingegneri SADE degli studi di Müller, si tratti di due frane distinte e che si stacchino prima l'una e poi, di conseguenza, l'altra. Come materiale di frana impiegato nell'esperimento viene scelta prima la sabbia, poi – una volta verificato che la sabbia bagnata non è adatta allo scivolamento – ghiaia, in ciottoli arrotondati. In un primo momento, per tener ferma la ghiaia sul tavolato che simula il piano inclinato del Toc, vengono incernierate delle tavole di legno: al momento di effettuare le prove, le tavole di legno provocano onde più alte della ghiaia stessa. Viene deciso di eliminare le tavole e trattenere la ghiaia con reti di canapa, prima in caduta libera per gravità, quindi accelerata dalla spinta di un trattore (PAS 37-38). Per simulare i tempi di caduta, viene usato come riferimento la frana di Pontesei: «...il Comitato ha proposto l'esecuzione di altre esperienze di caduta di frana prolungando i tempi fino a 5 minuti, dato che si ritiene che i tempi di caduta dell'ordine di un minuto o due siano troppo brevi in relazione all'andamento che questi fenomeni hanno normalmente: ad esempio la frana di Pontesei, che ha avuto un tempo di caduta prossimo ai dieci minuti». Diversa la testimonianza dell'ingegnere Linari, presente alla frana di Pontesei, che, interrogato se avesse riferito le modalità di caduta a Biadene e Semenza, dichiarerà al Giudice Istruttore: «Ciò ebbe la durata approssimativa di 30 secondi e a questo punto, per mia fortuna, cercai di scappare» (ASC 29). Gli studi si protrarranno per più di un anno.

25 luglio Tre deputati DC bellunesi interpellano il ministro dei Lavori Pubblici sui rischi del bacino, rischi resi evidenti dalla costruzione della galleria di sorpasso: il Ministro chiede al presidente della IV Sezione una risposta e questi chiede una relazione a Pancini, ingegnere alle dipendenze SADE. Significativa la risposta offerta dalla società: la galleria di sorpasso serve perché la frana del 4 novembre ha riempito un tratto della gola, dividendo così il serbatoio in due parti (PAS 29).

Agosto-settembre Vengono ultimati i quattro piezometri sulla sponda sinistra del Toc: si tratta di tubi di acciaio infissi nel terreno attraverso fori/sonda, raggiungendo profondità comprese tra 167 e 221 metri. I piezometri assolvevano a due funzioni: controllare il livello dell'acqua dentro la roccia e verificare se la frana era superficiale o profonda: nel primo caso lo spostamento di uno strato superficiale di terreno avrebbe rotto i tubi, incastonati a grande profondità; nel secondo caso, i tubi avrebbero continuato a funzionare, a conferma che la frana toccava uno strato molto profondo di terreno e roccia, superiore alla profondità raggiunta dai piezometri stessi. Uno dei quattro tubi va subito fuori uso, mentre gli altri tre, fino al giorno della frana, non si rompono né subiscono deformazioni.

1° agosto Frosini, presidente della IV sezione del Consiglio Superiore dei Lavori Pubblici, va in pensione ed è sostituito dall'ingegnere Curzio Batini, capo del Servizio Dighe, responsabile ultimo delle autorizzazioni per gli invasi.

19 settembre Al CIM giungono in visita il professor Giovanni Padoan, che ha sostituito Greco alla presidenza del Consiglio Superiore dei Lavori Pubblici, e l'ingegner Curzio Batini. Insieme a loro, il vice-direttore generale della SADE, ingegner Marin e lo staff della diga: Semenza, Biadene, Tonini, Pancini, Dal Piaz. Viene fatto vedere loro un esperimento addomesticato, una simulazione con meno ghiaia, «per non mostrare onde eccessive» (PAS 38-9).

5 ottobre La SADE domanda di poter raggiungere quota 680.

16 ottobre Con decreto del prefetto di Udine, la SADE è autorizzata a occupare permanentemente tutti gli immobili che le servono per completare la strada di circonvallazione sul versante sinistro del bacino (MERL 83), espropriando di fatto tutti i proprietari terreni.

17 ottobre Quinta e ultima visita della Commissione di collaudo e parere positivo alla ripresa dell'invaso, per quanto nel verbale si legga che «non si può escludere che con l'aumento dell'invaso la frana si rimetta in movimento» (ASC 51).

19 ottobre Senza attendere l'autorizzazione, la SADE riprende l'invaso (SGI 154-5).

31 ottobre Muore Carlo Semenza. Lo sostituisce l'ingegnere Alberico Biadene.

Relazione di Penta, relativa ai sopralluoghi del 10.4.1961 e del 17.10.1961: egli sostiene che è impossibile sciogliere l'alternativa tra moto superficiale e moto profondo per la frana. Secondo Penta non ci sono elementi sufficienti per una interpretazione catastrofica come quella di Müller, anche se non la si può escludere; egli propende però per una «lama», ovvero per un semplice moto di detrito superficiale (CM 110).

16 novembre Autorizzazione alla ripresa dell'invaso, ma solo fino a quota 640, con incrementi non superiori al metro al giorno e con l'obbligo di rapporti quindicinali sullo stato della diga e delle sponde. La SADE ha già iniziato l'invaso il 19 ottobre.

5 dicembre La SADE rinnova la richiesta per raggiungere quota 680.

23 dicembre Il Servizio Dighe autorizza quota 655.

1962

31 gennaio La SADE rinnova la richiesta per raggiungere quota 680.

6 febbraio Il Servizio Dighe autorizza quota 675.

marzo Biadene cancella dai rapporti quindicinali al Ministero le scosse sismiche registrate dalle sofisticate apparecchiature montate alla diga (SGI 180-1).

30 marzo Il Comitato direttivo del Centro Modelli Idraulici di Nove è del parere che «almeno per il momento non siano da compiere ricerche relative al prorogarsi di una onda di piena a valle della diga». Nella stessa sede, Indri rileva viceversa che sarebbe necessario conoscere la ripartizione dell'onda proveniente dal Vajont, in corrispondenza dell'abitato di Longarone (CM 139).

20 aprile Muore Giorgio Dal Piaz, a causa delle ferite riportate in un incidente automobilistico che gli era occorso insieme ai membri della Commissione di collaudo di ritorno dal sopralluogo del 17.10.1961 (CM 122).

27 aprile Scossa sismica.

3 maggio La SADE chiede l'autorizzazione di raggiungere quota 700.

13 maggio Scossa sismica.

8 giugno Viene concessa l'autorizzazione a raggiungere quota 700.

22 giugno Ordinanza del Comune di Erto-Casso per proibire l'accesso ai terreni perimetrali sotto quota 730 nonché di andare in barca sul bacino.

3 luglio Relazione Ghetti relativa alle prove con il modello di Nove: «Già la quota 700 m. s.m. può considerarsi di assoluta sicurezza nei riguardi anche del più catastrofico prevedibile evento di frana. Sarà comunque opportuno, nel previsto prosieguo della ricerca, esaminare sul modello convenientemente prolungato gli effetti nell'alveo del Vajont e alla confluenza nel Piave del passaggio di onde di piena di entità pari a quella sopra indicata per i possibili sfiori sulla diga» (SGI 201). La relazione Ghetti non viene trasmessa agli organi di controllo.

8 luglio Relazione dell'assistente governativo, Bertolissi: «Oltre alle fessure verificatesi dopo la frana del 1960, si sono verificate altre fessure, alcune superficiali, altre più profonde [...]. L'indagine di un geologo sulla natura delle fessure e sui movimenti darebbe un'idea più esatta della situazione» (CM 121). Non risulta che dopo 16.10.1961 siano state redatte relazioni geologiche da parte della SADE né dell'ENEL.

3 agosto Lettera dell'ingegnere capo del Genio Civile di Belluno al Servizio Dighe, nel trasmettere il rapporto dell'assistente governativo dell'8.7.1962: «L'ufficio scrivente conviene [...] sulla opportunità di tempestivo controllo da parte di un geologo». Il Servizio Dighe non risponderà mai (CM 140).

17 novembre L'acqua raggiunge quota 700 e vi resta fino al 2 dicembre; quindi inizia uno svaso fino a m. 647,5, raggiunti il 10.4.1963.

dicembre Lettera di Caloi a Tonini: «È nella quiete apparente che maturano i grandi sconvolgimenti: quando cominciano a manifestarsi in modo sensibile è quasi sempre troppo tardi per dominarli. Bisogna saper sorprenderli nella loro fase di preparazione, quando tutto sembra tranquillo. Con le misure da voi predisposte [...] non dovete illudervi di sorprendere detti movimenti nella loro fase di preparazione» (REB 227).

1° dicembre L'ingegner Almo Violin diventa il nuovo titolare del Genio Civile di Belluno, subentrando all'ingegner Desidera. Violin sostituisce l'ingegner Beghelli, preposto al ramo dighe, con un geometra che si dichiara essere all'oscuro della materia e di non aver mai visto la diga del Vajont. Violin ammetterà «che non conosceva le dighe se non attraverso le reminiscenze universitarie; di non aver mai visto l'assistente governativo; di aver visitato la diga una sola volta "per gusto personale"» (CM 152-3).

10 dicembre Relazione dell'assistente governativo, Bertolissi: «I diagrammi relativi agli spostamenti dei punti sotto osservazione nella zona del Toc, indicano che la velocità di abbassamento è aumentata sensibilmente» (ASC 78).

12 dicembre Nasce l'Ente Nazionale Elettricità, ENEL: in forza della legge 6 dicembre 1962 numero 1643, l'attività della SADE per quanto riguarda produzione importazione, esportazione, trasporto, trasformazione, distribuzione e vendita dell'energia elettrica, passa al nuovo Ente.

1963

10 gennaio Relazione dell'assistente governativo, Bertolissi: «I diagrammi relativi agli spostamenti dei punti sotto osservazione nella zona del Toc indicano che la velocità di abbassamento è aumentata nettamente, rispetto ai mesi di ottobre e precedenti: secondo il sottoscritto, i movimenti si stanno avvicinando alla criticità» (CP A1 20).

14 marzo Decreto Presidente della Repubblica per il trasferimento della SADE all'ENEL.

16 marzo Viene nominato Amministratore provvisorio della ENEL-SADE il professor Feliciano Benvenuti, di professione consulente economico del gruppo degli Industriali Veneziani, di cui è presidente Valeri Manera, consigliere della SADE. Viene deciso di mantenere la struttura organica del personale precedente fino a quando non ne sopravvenga una nuova. Ai vertici, due direttori, ingegneri Vittore Antonelli e Roberto Marin; vicedirettore generale per il ramo tecnico amministrativo Alberico Biadene, che è anche direttore dell'azienda di produzione e del servizio costruzioni idrauliche.

Il Consiglio Comunale di Erto-Casso delibera l'acquisizione della scuola elementare di Pineda, costruita dalla SADE e donata al Comune.

20 marzo L'ENEL-SADE fa richiesta di un ulteriore invaso fino a quota 715,15 metri oltre la quota di sicurezza indicata da Ghetti. La Commissione Ministeriale commenta: «È di questo periodo la decisione di non proseguire nella lodevole attività esplicata con esperimenti su modello idraulico al Centro di Nove, nonostante che il prof. Ghetti, nel concludere la sua relazione, sottolineasse l'opportunità di estendere le prove a valle della diga per avere certe indicazioni sulla possibilità di consentire anche maggiori invasi del serbatoio [...] senza pericolo di danni. La grande messe di dati raccolti con encomiabile diligenza e capacità dal personale della SADE sul bacino, non risulta essere stata oggetto di ulteriori esami ed elaborazioni» (CM 146-7).

30 marzo Il Servizio Dighe autorizza quota 715 senza un parere scritto della Commissione di collaudo, che non si è più riunita.

11 aprile Inizia il terzo e ultimo invaso.

1° luglio Il Sindaco di Erto-Casso, rassicurato dalla donazione della scuola, revoca l'ordinanza del 22.6.1962, ripristinando il libero accesso al bacino. La SADE e l'ENEL avvisano la Prefettura di Udine dello «stato di pericolo nella zona del Vajont» e «richiamano la responsabilità» del Sindaco di Erto. In realtà, la strada di circonvallazione, posta sullo stesso lato della scuola, è già fuori asse di mezzo metro, a due anni dall'inizio dei lavori di costruzione. Il Sindaco ripristina la vecchia ordinanza e il divieto di accesso.

22 luglio Il Sindaco di Erto telegrafa alla Prefettura di Udine e all'ENEL di Venezia, richiedendo provvedimenti urgenti e segnalando i pericoli per «inspiegabili acque torbide lago, continui boati et tremiti terreno comunale» (MERL 94). Non ottiene risposta.

27 luglio Verbale relativo alla presa in consegna dell'impresa elettrica SADE da parte dell'ENEL. Per quanto riguarda il bacino di Vajont, nell'allegato A, foglio 9, è scritto che il bacino è in esercizio, alimentatore della centrale del Colomber, anch'essa in esercizio (SGI 221 e 421).

1° settembre La quota dell'acqua raggiunge m. 709,40. A questo livello, con piccole oscillazioni fino a m. 710, l'acqua resterà fino
al 26 settembre, quando inizierà l'ultimo svaso.

2 settembre Scossa tellurica. Da questa data, e ininterrottamente fino al 9 ottobre, tutti i capisaldi sul versante sinistro subiscono
un continuo aumento di velocità: il 2 6,5 mm, il 15 settembre
12 mm, il 26 22 mm, il 2 e il 3 ottobre 40 mm, fino ai 200 mm
del 9 ottobre (CP Al 22).

Lettera del Sindaco di Erto-Casso all'ENEL-SADE: «Richiamato il
mio precedente telegramma del luglio u.s., rimasto, tra l'altro,
senza risposta [...]; constatato che le popolazioni di Erto e Casso stanno vivendo in continua apprensione e in continuo allarme; considerato anche che altri queste cose minimizzano, ma
che per la gente di Erto comportano, la sicurezza, la vita e gli a-
veri, questa amministrazione fa nuovamente presente le pro-
prie preoccupazioni per la sicurezza della popolazione e del
paese e i propri dubbi sulla stabilità delle sponde del lago di
Erto, e, pertanto, esige da codesto spettabile Ente la sicurezza e
la certezza che il paese non vivrà nell'incubo» (CM 166-7) e dif-
fida pertanto la ENEL-SADE a «togliere dal Comune la causa dello stato di pericolo pubblico, a mettere la popolazione di Erto
in stato di tranquillità e di sicurezza e solo dopo rimettere in attività il bacino» (CP Al 22). La lettera viene inviata per conoscenza anche al Ministero dei Lavori Pubblici, al Genio Civile e
alla Prefettura di Udine. Negli archivi del Ministero di tale lettera non c'è traccia.

4 settembre L'acqua raggiunge quota 710: non salirà più oltre questa soglia.

12 settembre Biadene risponde alla lettera del Sindaco di Erto,
parlando di «affermazioni piuttosto azzardate», richiamando-
si – per tranquillizzare gli ertani – agli studi geologici «eseguiti
a suo tempo dal compianto Prof. G. Dal Piaz» (MERL 96).

15 settembre Sul Toc si apre una nuova fessura; si notano inclina-
zioni degli alberi, avvallamenti della strada di circonvallazione
e l'accentuarsi della lunga fessurazione a forma di M che attra-
versa la montagna.

18 settembre Riunione alla diga tra Biadene, Mario Pancini, altri tecnici ENEL-SADE e i consulenti Caloi e Oberti: Biadene rinuncia a
raggiungere i 715 metri e si riserva di decidere lo svaso, qualora la situazione dovesse peggiorare.

26 settembre Biadene decide di iniziare l'opera di svaso.

151

27 settembre Inizia lo svaso.

30 settembre Mario Pancini, direttore del cantiere, in partenza per le ferie, informa personalmente la sede di Roma della ENEL-SADE della situazione e dell'inizio dello svaso. Prega l'ingegner Baroncini, direttore centrale delle costruzioni idrauliche ENEL, di convincere il professor Penta di fare un nuovo urgente sopralluogo.

1° ottobre Pancini parte per l'America. Al cantiere lo sostituisce l'ingegner Beniamino Caruso, direttore dei lavori del medio Piave. Caruso non riceve nessuna consegna da Pancini. Contemporaneamente, il geometra Rittmeyer, dipendente SADE presso la diga ma con trasferimento accordato a Venezia, si vede revocare detto trasferimento e riceve disposizione di rimanere sul posto.

2 ottobre Biadene si reca personalmente a Roma alla sede ENEL-SADE e discute della frana con l'ingegner Baroncini: lo prega di insistere presso Penta perché si rechi alla diga.

Caruso si reca sulla diga e, accertati nuovi movimenti dei capisaldi e altre recenti fenditure, si rivolge al Genio Civile. Lo fa due giorni dopo e senza rivolgersi al responsabile, Violin, né a nessun altro in modo formale.

5 ottobre Relazione di Caloi, in cui si parla di una frana avvenuta il 10 agosto 1963 alle ore 4 e 45. Non se ne conosce l'entità né l'ubicazione.

6 ottobre La strada di sinistra è quasi intransitabile per le continue crepe che si aprono nel manto stradale.

7 ottobre Caruso torna alla diga e avverte Biadene del peggioramento della situazione; il Genio Civile dispone un sopralluogo dell'Assistente governativo.

Alcuni operai trovano in una zona boscosa del lato sinistro del Monte Toc due fessure larghe un metro e lunghe circa dieci; durante la giornata se ne aprono altre; rotolano sassi, si sentono crepitii provenienti dalle viscere del monte.

7 ottobre, sera Viene dato ordine di far sgomberare il Toc, con esclusione delle frazioni Pineda, Liron, Prada.

8 ottobre, mattina Biadene e Caruso si recano alla diga e verificano l'ulteriore peggioramento della situazione. Caruso si reca da Violin al Genio Civile di Belluno, che a sua volta invita l'assistente governativo, Bertolissi, a recarsi presso la diga. Caruso lo prega di «non creare allarmi». Violin chiede una relazione scritta (CM 177).

8 ottobre, pomeriggio Biadene telefona alla sede di Venezia della E-NEL-SADE, perché si invii un telegramma al Sindaco di Erto-Casso, affinché emetta ordinanza di sgombero della zona del Toc e stabilisca il divieto d'accesso alle sponde del bacino, nonché il transito delle strade nella sponda sinistra del Vajont. L'ordinanza viene emessa. Bertolissi si reca alla diga e redige un rapporto che sottolinea «la gravità della situazione per cui si attendono istruzioni da codesto Servizio Dighe». Consegnato all'ingegnere capo del Genio Civile, Almo Violin, la mattina del 9, il rapporto viene spedito a Roma nel pomeriggio per posta ordinaria (PAS 57).

Biadene telefona anche alla sede di Roma della ENEL-SADE, pregando Baroncini di convincere Penta e la Commissione di collaudo di fare un nuovo sopralluogo. Penta accetta di inviare un proprio assistente, professor Esu, venerdì 11.

I Carabinieri fanno sgomberare alcuni abitati sotto quota 730.

9 ottobre, mattina I movimenti della frana fanno sì che il canale di scarico dell'invaso sia ostruito. Biadene scrive a Pancini, chiedendogli di rientrare dalle ferie: «...in questi giorni le velocità di traslazione della frana sono decisamente aumentate [...]. Le fessure del terreno, gli avvallamenti sulla strada, l'evidente inclinazione degli alberi sulla costa che sovrasta La Pozza, l'aprirsi della grande fessura che delimita la zona franosa, il muoversi dei punti anche verso la «Pineda» che finora erano rimasti fermi, fanno pensare al peggio. Ieri abbiamo telegrafato al Sindaco di Erto e alla Prefettura di Udine, chiedendo che sia ripristinata l'ordinanza di divieto di transito sulla strada; intanto il serbatoio sta calando un metro al giorno e questa mattina dovrebbe essere a quota 700. Penso di raggiungere quota 695 sempre allo scopo di creare una fascia di sicurezza per le ondate [...]. Mi spiace darle tante cattive notizie e di doverLa far rientrare anzitempo. [...] Che Iddio ce la mandi buona» (SGI 244-5).

ore 12 Durante la pausa pranzo alcuni operai ENEL fermi sul coronamento della diga vedono a occhio nudo il movimento della montagna.

ore 13 Dietro le baracche degli operai in sponda sinistra, si apre una crepa larga 50 centimetri e lunga 5 metri. Dopo tre ore la crepa ha progredito di 40-50 centimetri.

ore 15-16 Un operaio, attraversando la zona del Massalezza a una quota superiore alla strada, vede alberi cadere e sollevare, con le radici, grandi zolle di terra.

ore 17   Caruso riceve da Venezia le direttive di avvertire il Comando dei Carabinieri per disporre il blocco del traffico stradale nella zona di pericolo (CP A1 24).

ore 17,50   Biadene telefona a Penta, che lo rincuora: «Mi raccomanda la calma e di "non medicarci la testa prima di essercela rotta"» (SGI 250). È in quella telefonata che Biadene, per la prima volta, informa Penta degli esperimenti su modello del CIM e sulla presunta quota 700 come quota di sicurezza (ASC 20). Subito dopo Batini telefona a Biadene, che gli conferma il procedere dello svaso, «compatibilmente all'esercizio di Soverzene», messo abusivamente in funzione per produrre energia elettrica con l'acqua dello svaso (SGI 251).

ore 20   I camion non sono più in grado di transitare sulla strada in sponda sinistra. La strada per il Toc viene sbarrata dalla SADE.
Caruso incontra al caffè Deon di Belluno il comandante dei Carabinieri e gli spiega la necessità del provvedimento di chiusura della statale di Alemagna, prima e dopo Longarone. Il comandante telefona da un bar alla Caserma di Cortina d'Ampezzo e dà l'ordine, che viene trasmesso al maresciallo di Longarone (CM 184).

ore 22   Rittmeyer telefona a Biadene, a Venezia, per comunicare la sua estrema preoccupazione, dato che la montagna ha cominciato a cedere visibilmente. È preoccupato altresì per la frazione di Erto delle Spesse, a quota 729. Una telefonista di Longarone sente il colloquio, si intromette per chiedere se non ci sia pericolo anche per Longarone. Biadene la tranquillizza ma consiglia Rittmeyer di «dormire con un occhio solo» (CP A1 24).

ore 22,39   La frana si stacca. Non in due tempi, bensì come corpo unico, compatto: 260 milioni di meti cubi di roccia. In quel momento il livello dell'acqua è a quota 700,42 m. sul livello del mare. L'onda, di 50 milioni di metri cubi, provocata dalla frana, si divide in due direzioni. Investe da una parte i villaggi di Frassen, San Martino, Col di Spesse, Patata, Il Cristo. Quindi arriva ai bordi di Casso e Pineda. Dall'altra parte, superando la diga, raggiunge Longarone, Codissago, Castellavazzo. Infine Villanuova, Pirago, Faè, Rivalta, per poi defluire lungo il Piave. L'onda provoca 1917 morti: 1450 a Longarone, 109 a Castellavazzo, 158 a Erto e Casso e 200 persone originarie di altri comuni, di cui la maggior parte lavoratori e tecnici della diga con le rispettive famiglie. Pochissimi i feriti. In tutta la zona l'u-

154

nica opera umana che resiste, senza danni, all'onda è la diga di Carlo Semenza sul torrente Vajont.

11 ottobre Viene nominata la Commissione di inchiesta sulla sciagura del Vajont, per espressa volontà del Ministro ai Lavori Pubblici, di comune accordo con il Presidente del Consiglio. Insediata il 14 ottobre, alla Commissione vengono concessi due mesi di tempo per presentare la relazione. Il suo compito è quello di «accertare [...] le cause, prossime e remote, determinanti la catastrofe». La Commissione consegnerà la relazione in 90 giorni.

7 novembre Ultima relazione della Commissione di collaudo, che dichiara concluso il suo mandato e impossibile «la prosecuzione delle operazioni di collaudo» della diga (CP A1 9).

1964

agosto SADE confluisce, quale finanziaria, in Montecatini, il colosso della chimica italiana. La nuova società assume il nome di Montecatini-SADE.

1966

26 marzo Montecatini-SADE viene a fondersi con Edison. Tre anni dopo assume la nuova denominazione di Montedison.

maggio Costituzione del Consorzio tra i danneggiati della catastrofe del Vajont.

1968

20 febbraio Il Giudice istruttore Mario Fabbri deposita la sentenza del procedimento penale contro Alberico Biadene, Mario Pancini, Pietro Frosini, Francesco Sensidoni, Curzio Batini, Francesco Penta, Luigi Greco, Almo Violin, Dino Tonini, Roberto Marin, Augusto Ghetti. Penta e Greco sono nel frattempo deceduti.

10 maggio La Corte di Cassazione di Venezia decide, per legittima suspicione, lo spostamento del processo presso il Tribunale de L'Aquila. A Longarone ed Erto scoppiano le proteste.

28 novembre L'imputato Mario Pancini si toglie la vita.

29 novembre Inizia a L'Aquila il processo di primo grado.

1969

14 febbraio L'ENEL chiede al Tribunale di Venezia che sia consentita la restituzione a Montedison dell'impianto del Vajont, dato che il medesimo si sarebbe rivelato inidoneo al compito per cui era stato progettato prima e nazionalizzato poi. La Corte di Cassazione darà torto all'ENEL con sentenza del 22 febbraio 1975.

12 aprile Il Comune di Longarone rinuncia alla causa contro ENEL per favorire le trattative per un risarcimento diretto da parte dell'ENEL ai privati aderenti al Consorzio dei danneggiati (anche il Comune di Castellavazzo adotta la stessa linea): 3 milioni di lire per la perdita di un coniuge, 1 milione e 500.000 lire per un figlio, 800.000 lire per un fratello.

17 dicembre Si conclude il processo di primo grado. L'accusa chiede 21 anni per tutti gli imputati per disastro colposo di frana e disastro colposo d'inondazione, aggravati dalla previsione dell'evento e omicidi colposi plurimi aggravati. In sostanza, l'accusa sostiene che tutti gli imputati sono responsabili e che toccherà a Montedison, ENEL e allo Stato risarcire i danni provocati dai rispettivi dipendenti. Il giudice è di diverso avviso: Biadene, Batini e Violin sono riconosciuti colpevoli per omicidio colposo, per non aver avvertito e non avere messo in moto lo sgombero e per questo vengono condannati a sei anni di reclusione (di cui due condonati). Non viene riconosciuta la punibilità per i reati di frana e inondazione per l'imprevedibilità dell'evento prima e per la sua inevitabilità poi, quando diviene prevedibile. Assolti tutti gli altri.

1970

26 luglio Inizia a L'Aquila il Processo d'Appello, con lo stralcio della posizione di Batini, gravemente ammalato di esaurimento nervoso (morirà nel 1975).

3 ottobre La sentenza riconosce la totale colpevolezza di Biadene e Sensidoni: il primo viene condannato a 6 anni di reclusione (di cui 3 condonati), il secondo a 4 anni e mezzo (di cui 3 condonati); Frosini e Violin vengono assolti per insufficienza di prove. Marin e Tonini perché il fatto non costituisce reato, Ghetti per non aver commesso il fatto.

1971

15-25 marzo Processo di Cassazione a Roma: viene confermato il verdetto del processo di secondo grado. Biadene e Sensidoni sono ritenuti colpevoli per inondazione aggravata dalla previsione dell'evento, compresa la frana e gli omicidi. Vengono ridotte le pene: il primo è condannato a cinque anni di reclusione (di cui 3 condonati), il secondo a 3 anni e 8 mesi (di cui 3 condonati). Tonini viene assolto per non aver commesso il fatto e Violin per insufficienza di prove. Quattordici giorni dopo la sentenza, tutti i reati sarebbero caduti in prescrizione. Quanto alla ripartizione delle responsabilità civili tra ENEL e Montedison, sarà la Corte d'Appello a esprimersi con apposita sentenza

16 giugno La Regione Friuli Venezia Giulia approva la Legge Regionale n. 22 che sancisce l'esistenza, all'interno del territorio del comune di Maniago, di una frazione del comune di Erto e Casso, con denominazione Vajont. E, con effetto a partire dalla data di entrata in vigore della legge, il comune di Erto e Casso viene scisso in due comuni: uno con vecchia denominazione Erto e Casso, l'altro con nome Vajont.

1975

16 dicembre Inizia l'iter dei processi civili. La Corte d'Appello del Tribunale de L'Aquila sentenzia che la responsabilità civile per l'attività colposa di Biadene è dell'ENEL, sollevando la SADE (poi Montedison) da ogni responsabilità per il periodo di custodia che va dal 16 marzo al 27 luglio 1963.

1977

8 novembre La Corte di Cassazione a sezioni riunite annulla la sentenza della Corte d'Appello de L'Aquila del 16 dicembre 1975 e rinvia la causa ad altra sede, che viene individuata nella Corte d'Appello di Firenze.

1982

3 dicembre La Corte d'Appello di Firenze, ribaltando la sentenza della Corte d'Appello de L'Aquila del 16 dicembre 1975, condanna in solido l'ENEL e la Montedison al risarcimento dei danni sofferti dallo Stato e la sola Montedison per i danni subiti dal Comune di Longarone, riservandosi di quantificare in altra sede l'ammontare dei danni stessi e la loro ripartizione fra i responsabili civili.

1986

17 dicembre La Corte Suprema di Cassazione rigetta il ricorso intentato dalla Montedison alla sentenza del 1982.

1988

17 giugno Il Tribunale di Belluno condanna l'ENEL a risarcire congiuntamente il comune di Erto e Casso e il comune di Vajont per i danni demaniali e patrimoniali, nonché per il danno subito per perdita della popolazione, delle attività e per il danno ambientale ed ecologico, per una somma complessiva pari a un miliardo e mezzo di lire. Il 12 marzo 1992 la Corte d'Appello di Venezia conferma la sentenza di condanna verso l'ENEL del 17 giugno 1988. Il 25 settembre 1995 la Corte di Cassazione conferma le sentenze precedenti, elevando la somma del risarcimento a lire 2.480.990.500 da rivalutare. L'ENEL contesta i criteri di calcolo della rivalutazione della cifra totale di risarcimento e blocca il risarcimento, mancando una ripartizione della cifra convenuta tra i due comuni.

1991

9 luglio Il Tribunale di Roma riconosce un risarcimento al comune di Castellavazzo pari a lire 2.250.900.000 a carico di Montedison, attribuendone però solo un terzo all'azienda e la restante parte a carico dell'ENEL e dello Stato. Il 31 ottobre 1994 la Corte d'Appello di Roma conferma la sentenza ed evidenzia l'oppurtunità di accertare il concorso di responsabilità tra ENEL, Montedison e Stato: le prime due come datori di lavoro di Biadene, il terzo come datore di lavoro di Sensidoni.

1997

15 febbraio Il Tribunale Civile e Penale di Belluno condanna la Montedison a risarcire i danni subiti dal comune di Longarone per un ammontare di lire 55.645.758.500, comprensive dei danni patrimoniali, extrapatrimoniali e morali, oltre a lire 526.546.800 per spese di lite e onorari e lire 160.325.530 per altre spese. La sentenza ha carattere immediatamente esecutivo. Il 25 novembre 1998 la Corte d'Appello di Venezia conferma la condanna ma riduce l'importo del risarcimento a lire 54.481.771.465, più spese legali. Il 23 giugno 1999 Montedison e il comune di Longarone si accordano definitivamente per un importo onnicomprensivo di 77 miliardi di lire, da versarsi a rate entro il 31 dicembre 2000.

1999

22 novembre L'ENEL, il comune di Erto e Casso e il comune di Vajont firmano un accordo per risolvere definitivamente e in via amichevole il contenzioso e porre fine alle dispute in corso. In base alla transazione, l'ENEL pagherà congiuntamente ai due comuni la cifra onnicomprensiva di 18 miliardi e 200 milioni di lire. La cifra sarà versata presso un istituto di credito designato d'intesa dai due comuni, in attesa dell'emanazione di una legge regionale che definisca le rispettive spettanze.

2000

3 luglio La Regione Friuli Venezia Giulia approva la Legge Regionale n. 13 che sancisce che i rapporti patrimoniali e finanziari tra il comune di Erto e Casso e il comune di Vajont saranno regolati da apposita legge regionale, qualora non vengano definiti mediante accordo tra i comuni stessi, entro il 31 agosto 2000. Il 12 febbraio 2003, non essendo stato trovato un accordo fra il comune di Erto e Casso e il comune di Vajont per regolamentare i rapporti patrimoniali e finanziari tra i due comuni, la Regione Friuli Venezia-Giulia approva la Legge Regionale n. 4 che definisce che il 65% del valore dei beni ancora da assegnare è attribuito al comune di Erto e Casso, il rimanente 35% al comune di Vajont. In base a questa legge i due comuni possono suddividersi i 18 miliardi e 200 milioni di lire del rimborso dell'ENEL.

18 luglio Il Consiglio dei Ministri, su proposta dell'Avvocatura dello Stato, approva un accordo tra ENEL, Montedison e Stato per dividersi in parti uguali tutti i costi sopportati per la catastrofe del Vajont. Il 27 luglio, presso la Presidenza del Consiglio dei Ministri, viene firmato l'accordo finale di transazione. L'accordo riguarda il Ministero del Tesoro, del Bilancio e della Programmazione Economica, l'ENEL, la Montedison, le regioni Friuli Venezia Giulia e Veneto, le Poste e l'ANAS. Stato, ENEL e Montedison sottoscrivono una convenzione in base alla quale assumono un terzo ciascuno i 900 miliardi di lire convenuti quali oneri e danni totali. Come conguaglio, Montedison versa alle altre parti 210 miliardi di lire.

Dopo quest'ultimo atto, e dopo la divisione del risarcimento tra il comune di Erto e Casso e il comune di Vajont, tutte le parti in causa si sono impegnate a rinunciare in via definitiva a ogni ulteriore azione e richiesta, ritenendo «definitivamente soddisfatto ogni loro reciproco diritto, credito o pretesa riguardo alle conseguenze del disastro del Vajont» (REB 250).

INDICE

Finito di stampare nel mese di novembre 2013
presso il Nuovo Istituto Italiano d'Arti Grafiche Bergamo